D0286536

UN ÉTÉ AVEC
VICTOR HUGO

DES MÊMES AUTEURS

LAURA EL MAKKI :

Un été avec Proust, ouvrage collectif, Équateurs/France Inter, 2014.

Henry David Thoreau, co-écrit avec Marie Berthoumieu, Gallimard, « Foliobiographies », 2014.

H. G. Wells, Gallimard, « Foliobiographies », 2016.

GUILLAUME GALLIENNE :

Les Garçons et Guillaume, à table !, Les Solitaires intempestifs, 2013.

Ça peut pas faire de mal. Le roman : *Proust, Hugo et Madame de Lafayette lus et commentés par Guillaume Gallienne*, Gallimard/France Inter, 2014.

Ça peut pas faire de mal. La poésie : *Baudelaire, Apollinaire, Éluard et Aragon lus et commentés par Guillaume Gallienne*, Gallimard/France Inter, 2015.

Laura El Makki Guillaume Gallienne

UN ÉTÉ AVEC VICTOR HUGO

ÉQUATEURS FRANCE INTER

Sites Internet : www.equateurs.fr
www.franceinter.fr

Courriel : contact@editionsdesequateurs.fr

Introduction

Le 23 janvier 2016, le visage de Cosette apparut sur un mur du quartier de Knightsbridge, à Londres. Cheveux au vent, larmes coulant sur son visage, drapeau tricolore voletant derrière elle, à moitié déchiré. Face à l'ambassade de France, le pochoir – inspiré de la gravure d'Émile-Antoine Bayard et signé par l'artiste de rue Banksy – dénonçait l'évacuation d'un millier de réfugiés de Calais, femmes et hommes fuyant les guerres à travers les mers, en quête d'une liberté perdue. Londres est leur eldorado. Coïncidence troublante : l'Angleterre fut la terre d'asile de Victor Hugo – contraint à l'exil politique en 1851 –, là où précisément ont été rédigées la quasi-totalité des aventures de la fillette abandonnée à la violence des hommes. Cent cinquante ans séparent l'enfant de ces autres « misérables » dont il fait peu de doutes qu'ils auraient eu leur place dans un roman de l'écrivain.

Hugo aimait ceux qui avaient l'audace d'exister. Il admirait ces « témérités [qui] éblouissent l'histoire », portées par le désir de lutter contre les obstacles du destin. Sa conscience politique l'a mené à côtoyer les plus démunis, et à défendre la cause de nombreux opprimés. De cette humanité héroïque, il a forgé des personnages dont la force d'âme les poussait à ignorer le renoncement. Jean Valjean, Cosette, Quasimodo, Ruy Blas, et tant d'autres : si ces noms sont ancrés dans nos consciences, si leur existence nous semble étonnamment réelle, c'est qu'ils s'imposent comme des esprits animés d'espoir. « Tenter, braver, persister, persévérer, être fidèle à soi-même, prendre corps à corps le destin, étonner la catastrophe par le peu de peur qu'elle nous fait, tantôt affronter la puissance injuste, tantôt insulter la victoire ivre, tenir bon, tenir tête […] », voilà la raison d'être de l'humanité hugolienne, et celle de son auteur.

Plus que la vérité, c'est la grandeur qui l'intéresse. Une telle ambition éreinte le premier qui ose s'y frotter. Victor Hugo a honoré ses pensées et *tenu bon*, faisant ainsi de sa vie un roman aux multiples péripéties. Le désir étant parfois plus fort que le destin, il a connu une gloire fulgurante, mené des combats d'envergure et joui d'amours passionnées. Mais ces réussites ne l'ont pas protégé des coups du sort, ni des chagrins intimes. Son œuvre lui ressemble. Elle est le miroir de ses actes et de ses paroles, de ses enthousiasmes et de ses vertiges.

Lire Hugo est une promesse : celle de parcourir l'un des siècles les plus palpitants de l'histoire de France, de côtoyer le sublime et d'expérimenter l'infini. Promesse de voir les orphelins sauvés par le hasard et les éclopés rencontrer l'amour. Promesse, aussi, de comprendre le sens du courage politique. Lire Hugo, c'est tout simplement entrer en littérature. *Un été avec Victor Hugo* souhaite modestement ouvrir ce chemin vertueux et inviter chaque lecteur à plonger sans crainte dans cet homme et son œuvre océan. Il avait tant désiré la grandeur. Il l'incarne aujourd'hui parfaitement.

I

L'enfant sublime

Tout petit déjà, Victor Hugo rêvait en grand. Sur l'un de ses cahiers d'écolier, il aurait écrit « Je veux être Chateaubriand ou rien. » Personne n'a retrouvé la trace de cette phrase, mais on a envie d'y croire. Elle prolonge la légende sculptée par l'écrivain lui-même : celle du poète au grand front et à la barbe blanche, « l'homme des utopies » qui, dans *Les Rayons et les ombres*, « vient préparer des jours meilleurs ».

Le voici à quinze ans, dans « Le Désir de la Gloire », rêvant de reconnaissance et de lumière :

> Ô Gloire, ô déité puissante,
> Accorde à celui qui te chante
> Une place dans l'avenir ;

Gloire, c'est à toi que j'aspire,
Ah ! Fais que ton grand nom m'inspire
Et mes vers pourront t'obtenir.

Sous son crâne, c'est déjà la tempête.

Élève au lycée Louis-le-Grand, à Paris, le jeune homme travaille, s'applique, mais une seule chose compte à ses yeux : la littérature. Il se met alors à écrire. En 1817, il participe à un concours de poésie organisé par l'Académie française, obtenant une mention et même un article dans les journaux. Mais ce n'est pas assez pour l'adolescent qui réfléchit déjà au théâtre. L'une de ses œuvres de jeunesse a pour titre *Irtamène :* une tragédie en cinq actes, écrite en vers. Suivront une comédie, un opéra-comique et l'ébauche d'un premier roman, *Bug-Jargal*, écrit en quinze jours à peine, pour épater les copains. L'écrivain en herbe ne cache plus ses ambitions.

Son père, général d'Empire, veut l'inscrire à l'École polytechnique. Le fils fera finalement du droit – une discipline vite abandonnée, mais qui restera une passion. Tout au long de sa vie, les questions de justice vont nourrir sa pensée et son œuvre. Pour l'heure, ses centres d'intérêt se résument à deux mots : lecture et politique. Et si sa mère ne jure que par Voltaire, Victor, lui, préfère de loin Chateaubriand.

À défaut de pouvoir être comme lui – académicien, ministre d'État et pair de France –, Hugo va s'évertuer à lui ressembler pour attirer son attention. Avec ses frères Abel et Eugène, il crée sa propre revue royaliste sur le modèle du journal *Le Conservateur*, dirigé par son idole. Il en est le rédacteur en chef, écrivant la plupart des articles sous différents pseudonymes.

Un jour, en 1820, un républicain fanatique assassine Charles-Ferdinand d'Artois, descendant des Bourbons. Hugo prend la plume et consacre une ode à *La mort du duc de Berry*. Chateaubriand lit le texte. Fasciné par son talent, il convoque sans plus attendre celui qu'il nomme déjà « l'enfant sublime ». Les deux hommes se rencontrent et deviennent amis. Chateaubriand invite plusieurs fois Hugo lors de ses déplacements d'ambassadeur et sera près de lui quand la bataille d'*Hernani* éclatera. Mais l'auteur du *Génie du christianisme* se rend vite compte que l'élève dépasse le maître :

à partir des années 1830, le chef de file des Romantiques, c'est bel et bien Victor Hugo.

Disparu l'« enfant sans couleur, sans regard et sans voix », « cet enfant que la vie effaçait de son livre », teinté de la mélancolie des *Feuilles d'automne*. L'écrivain s'est forgé un nom, une devise (« Ego Hugo », gravée bien plus tard sur un siège de son salon) et une ambition : écrire « un livre multiple résumant un siècle ».

Victor Hugo se révélera davantage que « Chateaubriand ou rien ». Il sera romancier, poète, dramaturge, pamphlétaire. Il deviendra académicien, pair de France, et député. Royaliste puis républicain, prophète et populaire : l'écrivain n'aura de cesse de se remettre en question, de douter, pour être au plus près de la réalité. L'enfant sublime veut vivre « comme les autres hommes, sans effacement et sans orgueil, en voyant ce qu'ils voient, en touchant ce qu'ils touchent », et, par l'écriture, les guider vers la lumière.

2
Révolutions

« Mauvais éloge d'un homme que de dire : son opinion politique n'a pas varié depuis quarante ans. C'est dire que pour lui, il n'y a ni expérience de chaque jour, ni réflexion, ni repli de la pensée sur les faits. C'est louer une eau d'être stagnante, un arbre d'être mort ; c'est préférer l'huître à l'aigle. »

L'image, extraite de *Littérature et philosophie mêlées*, n'est pas choisie au hasard par Victor Hugo. À ses yeux, mieux vaut tournoyer dans le ciel que rester collé à son rocher. L'aigle, c'est bien lui : puissant et solitaire, indompté et méfiant. En un mot, libre.

Cette liberté a beaucoup interrogé ses contemporains, jusqu'à notre époque. D'abord royaliste, l'écrivain s'est peu à peu rallié à l'idée républicaine pour finalement devenir un farouche opposant du Second Empire et même, à la toute fin de sa vie, le défenseur des communards. De la droite la plus conservatrice à la gauche la plus sociale : le parcours politique de Victor Hugo a tout du grand écart. Certains l'accusent de versatilité, voire d'opportunisme. Il répond par la verve de ses convictions et la constance de ses engagements.

Hugo est ambitieux mais n'a jamais placé ses intérêts avant ses idéaux. Né en 1802 et mort en 1885, l'écrivain a assisté à de multiples bouleversements politiques autant qu'il a vécu des révolutions intimes. Son existence comme son œuvre sont indissociables des troubles de l'histoire du XIXe siècle en France. De ses premiers recueils de poésie imprégnés de dévotion royaliste, à son dernier grand roman, *Quatre-vingt-treize*, en passant par son théâtre, ses discours et ses pamphlets, il n'a cessé de réfléchir à l'action publique, à la manière dont les hommes vivent et peuvent continuer à vivre ensemble.

À vingt-trois ans, il est le chantre de la

royauté, louant Charles X, le dernier des Bourbons à accéder au trône. Sa Légion d'honneur en poche, il prépare, dans la préface de *Cromwell*, le renouveau du théâtre romantique et se soucie du sort des prisonniers dans *Le Dernier Jour d'un condamné*. Nous sommes à l'aube de la révolution de 1830 et, déjà, les questions sociales le taraudent. Mais il n'a pas encore pleinement confiance en la « République » – après tout, celle née de 1789 s'est vite transformée en « Terreur ».

Victor Hugo accueille donc avec respect l'avènement du roi Louis-Philippe et gravit un à un les échelons de la gloire intellectuelle. En 1840, il succède à Balzac à la tête de la Société des gens de lettres ; l'année suivante, il est élu à l'Académie française ; puis, titre suprême, le roi le nomme pair de France. Les publications se multiplient. Hugo est riche, célèbre, et sa conscience de l'injustice sociale s'affine. Le jeune homme, « un peu fanatique de dévotion et du royalisme » tel que le décrivait son ami poète Alfred de Vigny, a bien changé. Hugo s'affirme et veut désormais combattre ce qu'il nomme dans ses *Choses vues* : « les mauvaises actions de la loi ».

Quand éclate la révolution de 1848, il n'est pas encore républicain mais se dit « libéral, socialiste [et] dévoué au peuple ». Après avoir un temps soutenu la régence de la duchesse d'Orléans, il se résout à la proclamation de la IIe République et se fait élire, sur une liste conservatrice, député à l'Assemblée Constituante. Il est officiellement à droite, mais penche sérieusement à gauche, criant haut et fort son dégoût de la misère, sa foi en l'école laïque, son empathie pour les condamnés à mort et son amour de la presse libre.

Son propre camp le désavoue, il ne quitte pas leurs rangs. Il soutient même la candidature de Louis Napoléon Bonaparte pour l'élection présidentielle de décembre 1848. Ce dernier le trahit en 1851, en renversant la République et en ratifiant par plébiscite le coup d'État. La grande majorité des suffrages lui est favorable, lui permettant de proclamer l'Empire un an plus tard.

La rupture est définitivement consommée. Exilé de France pendant dix-neuf longues années, Hugo devient férocement républicain, et ne changera plus. « J'ai grandi », dira-t-il simplement dans *Les Contemplations*, assumant son parcours accidenté, ses hésitations et ses revirements. Son évolution est fascinante, et sa sincérité, telle qu'il l'exprime dans ses *Proses philosophiques*, ne fait aucun doute :

« Je vis et je pense à mes risques et périls, ce qui fait que par moments j'ai l'air d'un imbécile. J'y consens. J'ai la fierté de ma bêtise. »

3

Adèle Foucher

« Ce soir-là […] nous étions sous les marronniers, au fond du jardin. Après un de ces longs silences qui remplissaient nos promenades, elle quitta mon bras et me dit :

» Courons !

» Je la vois encore. […] Elle se mit à courir devant moi avec sa taille fine comme le corset d'une abeille et ses petits pieds qui relevaient sa robe jusqu'à mi-jambe. Je la poursuivis, elle fuyait ; le vent de sa course soulevait par moments sa pèlerine noire, et me laissait voir son dos brun et frais.

» J'étais hors de moi. Je l'atteignis près du vieux puisard en ruine ; je la pris par la ceinture, du droit de victoire, et je la fis s'asseoir sur un banc de gazon ; elle ne résista pas. […]

» – Lisons quelque chose. Avez-vous un livre ? dit-elle.

» J'avais sur moi le tome second des *Voyages* de Spalanzani. Je l'ouvris au hasard, je me rapprochai d'elle, elle appuya son épaule à mon épaule, et nous nous mîmes à lire chacun de notre côté, tout bas, la même page. Avant de tourner le feuillet, elle était toujours obligée de m'attendre.

» – Avez-vous fini ? me disait-elle, que j'avais à peine commencé.

» Cependant nos têtes se touchaient, nos cheveux se mêlaient, nos haleines peu à peu se rapprochèrent, et nos bouches tout à coup. Quand nous voulûmes continuer notre lecture, le ciel était étoilé.

» C'est une soirée que je me rappellerai toute ma vie[1]. »

Ce soir d'été 1819, Victor Hugo a dix-sept ans, et il embrasse la femme de sa vie, Adèle Foucher. Ils se sont rencontrés dix ans plus tôt, dans la cour qu'ils partagent, impasse des

---

1. *Lettres à la Fiancée*, cité dans *La Vie de Victor Hugo racontée par Victor Hugo*, textes rassemblés par Claude Roy, Julliard, 1952, p. 43-44.

Feuillantines, près de la rue Saint-Jacques à Paris. Sophie Trébuchet, la mère d'Hugo, loue le rez-de-chaussée d'un ancien couvent ; l'autre partie est habitée par la famille d'Adèle.

Elle a les cheveux bruns, les yeux noirs, aime la littérature et rêve de pouvoir épouser Victor. Mais la mère du futur écrivain désapprouve cette union : Adèle ne lui semble pas assez bien pour son fils. Les parents de la jeune fille, prévenus de ce refus, décident d'éloigner Adèle. Puis les Hugo déménagent. Victor, dont les parents sont définitivement séparés, est placé à la pension Cordier. Deux ans et plusieurs dizaines de lettres clandestines s'écoulent avant que les deux adolescents ne se revoient. 1821 est une année mêlée de chagrin et de joie : Victor perd sa mère, mais il sait qu'il est libre d'épouser l'aimée.

Le mariage est célébré le 12 octobre 1822 à l'église Saint-Sulpice, sous le regard noir d'Eugène Hugo qui nourrit lui aussi pour Adèle un amour sincère et obsessionnel. Quelques semaines avant la cérémonie, Victor envoie à sa fiancée ces quelques mots : « Je conserverai comme toi, sois-en sûre, jusqu'à la nuit enchanteresse des noces, mon heureuse ignorance. » Et la nuit tant attendue arrive. Hugo, vierge et fougueux tel « un vendangeur ivre » (selon le bon mot de Lamartine), fait l'amour neuf fois à sa femme. C'est en tout cas le chiffre – discuté – qu'il aurait avancé fièrement à la fin de sa vie.

Le couple est heureux et accueille en 1823 son premier enfant, Léopold, qui meurt quelques mois après sa naissance. Léopoldine naît l'année suivante. Suivent Charles (en 1826), François-Victor (en 1828) et Adèle (en 1830). Après cinq grossesses en six ans, Mme Hugo commence à prendre ses distances vis-à-vis de son mari, et lui ferme la porte de sa chambre. Un autre homme occupe son esprit : il s'appelle Sainte-Beuve, il est écrivain et fidèle ami du couple depuis peu. Visiteur régulier, il voue à Victor Hugo une admiration enflammée et va peu à peu s'éprendre de son épouse discrète, jusqu'à avouer maladroitement à son compagnon, dans une lettre, l'intensité de son attachement pour elle. Un étrange triangle amoureux s'ébauche et se maintient jusqu'en 1836, mettant plus en péril l'amitié que l'amour. Si le mari trompé assurera à « son frère » Sainte-Beuve que « rien n'est rompu », les deux hommes se fréquenteront moins, Hugo étant très occupé à se faire une place au théâtre, et à se consoler dans les bras de Juliette Drouet, une séduisante actrice rencontrée en 1833.

Au fil des années, l'écrivain multipliera les liaisons tout en conservant un amour intact pour son épouse. « Je te le répète, je ne me crois pas meilleur que d'autres », lui écrit-il, « je puis faillir ou errer, mais je t'aime et je t'aimerai toujours. Sois sûre de cela, Adèle. Je te le dis pour que tu le croies, je te le dis dans la sincérité de mon cœur. »

Jamais Adèle ne lui en voudra, allant même jusqu'à autoriser ses écarts de conduite au nom de l'amour qu'elle lui porte. « Tu peux faire tout au monde pourvu que tu sois heureux », lui écrit-elle le 5 juillet 1836, « je le serai – ne crois pas que ce soit indifférence, mais c'est dévouement, et détachement pour moi de la vie. D'ailleurs, jamais je n'abuserai des droits que le mariage me donne sur toi. Il est dans mes idées que tu sois aussi libre qu'un garçon, pauvre ami, toi qui t'es marié à vingt ans, je ne veux pas lier ta vie à une pauvre femme comme moi [...]. »

Cette indulgence a néanmoins ses limites. Lorsque Adèle entreprend à Guernesey d'écrire la biographie de son mari (*Victor Hugo raconté par un témoin de sa vie*, 1863), elle aura la délicatesse de ne jamais mentionner Juliette, l'amante de longue date, l'ennemie absolue.

4

La bataille d'« Hernani »

Il fut un temps où le théâtre échauffait les passions, déchirait l'opinion et provoquait le débat politique. Un temps où l'on s'empoignait dans la salle pour une réplique trop audacieuse, ou un alexandrin imparfait. Cette époque, Victor Hugo l'a vécue et même façonnée puisqu'il fut, à la fin des années 1820, l'artisan du renouveau théâtral français.

Hugo a la passion de la scène. Le jeune poète le sait : c'est en devenant dramaturge qu'il gagnera la reconnaissance. Depuis quelques années déjà, il a l'habitude de réunir ses amis chez lui, rue Notre-Dame-des-Champs, pour leur lire les ébauches de ses pièces. Entouré de Delacroix, Mérimée, Musset, Sainte-Beuve, Vigny ou encore Lamartine, il se pose en chef de file des Romantiques et ne cache plus son ambition : réinventer le théâtre, mettre « le marteau dans les théories, les poétiques et les systèmes », montrer la vraie « façade de l'art. » Écrite en 1827, sa préface de *Cromwell* constitue un véritable manifeste littéraire. Dans ce texte, Hugo déboulonne les règles classiques, prône la fin des unités d'action et de lieu, et préconise le mariage du grotesque et du sublime. La « bataille » peut commencer.

Après l'interdiction par le roi Charles X de sa pièce *Marion de Lorme* (l'histoire d'une courtisane sous le règne de Louis XIII), Hugo veut prendre sa revanche et propose *Hernani*, un drame où trois hommes se disputent l'amour de la belle Dona Sol : le jeune Hernani, héros romantique par excellence ; Don Carlos, le roi d'Espagne ; et le vieux Don Ruy Gomez de Silva, oncle de la jeune fille, immensément riche.

Le soir de la première approche. Elle aura lieu au Théâtre-Français (actuelle Comédie-Française), temple de la dramaturgie classique. Hugo sait qu'il va se frotter à un public conservateur, il mobilise donc ses troupes. Ses amis, Théophile Gautier et Gérard de Nerval, sont chargés de recruter des alliés qui porteront « le gilet rouge », couleur de la rébellion romantique.

Le 25 février 1830, à 14 heures, les portes du théâtre s'ouvrent. La foule se presse dans la salle encore sombre. Il faut attendre huit heures avant le lever de rideau. Les discussions s'engagent, certains ont apporté de quoi manger, les deux clans s'observent. Gautier, fidèle ami de l'auteur, se souvient : « Nous les regardâmes avec un sang-froid parfait, toutes ces larves du passé et de la routine, tous ces ennemis de l'art, de l'idéal, de la liberté et de la poésie, qui cherchaient de leurs débiles mains tremblotantes à tenir fermée la porte de l'avenir. » Puis, les sept coups retentissent. Sur la scène, une vieille femme ouvre la porte à celui que sa maîtresse attend...

> Serait-ce déjà lui ?... C'est bien à l'escalier
> Dérobé...

Ce premier vers prononcé provoque des cris dans la salle. Le mot « dérobé » est rejeté en tête du second vers. C'est inhabituel. Victor Hugo ne casse pas seulement l'alexandrin, il remet politiquement le monde en question, il montre que la langue n'est plus uniquement celle des nobles, mais bien celle du peuple. Le scandale est encore à venir… L'homme qui est entré, le roi Don Carlos, vient pour déclarer son amour à Dona Sol. Hernani étant sur le point d'arriver, le roi doit se cacher. Il choisit l'armoire. Mouvement de rage dans le public : Hugo a osé mettre la royauté dans un placard, comme les sorcières et les bouffons. Les Classiques hurlent, les Romantiques applaudissent. Tous, néanmoins, ont la ferme conviction d'assister à un moment historique. Gautier raconte :

« Au sortir du théâtre, nous écrivions sur les murailles : "Vive Victor Hugo !" pour propager sa gloire et ennuyer les philistins. Jamais Dieu ne fut adoré avec plus de ferveur qu'Hugo. Nous étions étonnés de le voir marcher avec nous dans la rue comme un simple mortel et il nous semblait qu'il n'eût dû sortir par la ville que sur un char triomphant traîné par un quadrige de chevaux blancs, avec une

Victoire ailée suspendant une couronne d'or au-dessus de sa tête. »

Le lendemain, les critiques fusent avec une violence inouïe. Mais Hugo a gagné la bataille : il a rêvé un théâtre qui réveille les hommes, et son rêve a pris forme. La nouvelle ère du drame romantique commence. Elle connaîtra son apogée quelques années plus tard, avec *Ruy Blas.*

5
L'amour du peuple

Il y a des scènes que Victor Hugo ne peut pas oublier. Des « choses vues », à jamais ancrées dans sa mémoire. À Lille, en février 1851, il a visité des logements insalubres où s'entassent les ouvriers. Même époque, à Montfaucon, il a regardé des mères cherchant de la nourriture pour leurs enfants, au milieu de « débris immondes et pestilentiels ». Adolescent à Paris, il a entendu le cri d'une jeune femme marquée au fer rouge pour avoir volé du pain. S'il a tant parlé du peuple dans ses livres, c'est parce qu'il connaît bien sa condition et ses souffrances. Il s'y est non seulement intéressé, mais il a aussi tout mis en œuvre pour tenter d'améliorer leur vie.

La prise de conscience s'est accomplie

avec le temps. À force de côtoyer le monde, le poète royaliste des jeunes années apprend à connaître « les infortunés ». En 1831, dans le recueil *Les Feuilles d'automne*, il affirme déjà sa haine de l'oppression, ajoutant « à [sa] lyre une corde d'airain ». Trois ans plus tard, dans son roman *Claude Gueux*, il raconte la tragique destinée d'un ouvrier emprisonné, là aussi, pour vol de pain. C'est le premier modèle de Jean Valjean, futur personnage emblématique des *Misérables*. Ruy Blas, Quasimodo, ou encore Aïrolo dans la pièce très politique *Mangeront-ils ?* font bientôt leur apparition. Tous viennent du peuple. Tous deviennent des héros sous le regard bienveillant de l'écrivain.

La question sociale – et plus précisément la question de la faim comme enjeu social majeur – bouleverse l'évolution politique de Victor Hugo. Les journées de juin 1848, qui ont succédé à la proclamation de la IIe République, ont notamment agi sur lui comme un révélateur. Le peuple était descendu dans la rue pour protester contre la fermeture des Ateliers nationaux. Hugo avait voté pour leur suppression, mais lorsqu'il a vu les insurgés défendre leur cause, il a pris la mesure de leur sort. Quelques semaines plus tard émerge un nouveau journal : *L'Événement*. Dirigé par les deux fils Hugo, Charles et François-Victor, il a pour devise une phrase du père : « Haine vigoureuse de l'anarchie ; tendre et profond amour du peuple. »

En mai 1849, Hugo est élu à l'Assemblée législative sur les rangs de la droite. Son fameux discours sur la misère va changer la donne :

« Je ne suis pas de ceux qui croient qu'on peut supprimer la souffrance en ce monde, la souffrance est une loi divine, mais je suis de ceux qui pensent et affirment qu'on peut détruire la misère. Remarquez-le bien messieurs, je ne dis pas diminuer, amoindrir, limiter, circonscrire, je dis détruire. La misère est une maladie du corps social comme la lèpre est une maladie du corps humain, la misère peut disparaître comme la lèpre a disparu. Les législateurs et les gouvernants doivent y songer sans cesse, car, en pareille matière, tant que le possible n'est pas fait, le devoir n'est pas rempli. »

Imaginons l'atmosphère survoltée de l'Assemblée. Hugo, prononçant son discours, est hué par son propre camp, et applaudi par la gauche. Les derniers mots qu'il adresse aux députés ne laissent aucun doute sur son engagement à venir : « Je déclare qu' [...] il y aura toujours des malheureux, mais qu'il est possible qu'il n'y ait plus de misérables. » Le mot est lancé. L'écrivain a trouvé son titre.

Hugo mettra quinze ans à finir ce roman, dont une grande partie est rédigée en exil. Avant de s'installer sur les îles Anglo-Normandes, il pose ses valises à Bruxelles. Là-bas, il écrit deux textes qui marquent sa rupture avec la politique française : *Napoléon le Petit* et *Les Châtiments*. Dans ce recueil poétique, il harangue le peuple français qu'il aime tant, l'invitant à lutter contre le pouvoir impérial qui risque de s'installer. Le poème « Joyeuse vie » témoigne de sa foi profonde en un avenir justicier qui rétablira l'ordre et le droit :

Ah ! quelqu'un parlera. La muse, c'est l'histoire.
Quelqu'un élèvera la voix dans la nuit noire.
Riez, bourreaux bouffons !
Quelqu'un te vengera, pauvre France abattue,

Ma mère ! Et l'on verra la parole qui tue
Sortir des cieux profonds !
Ces gueux, pires brigands que ceux des vieilles races,
Rongeant le pauvre peuple avec leurs dents voraces,
Sans pitié, sans merci,
Vils, n'ayant pas de cœur, mais ayant deux visages,
Disent : – Bah ! Le poète ! Il est dans les nuages ! –
Soit. Le tonnerre aussi.

L'espoir d'un hypothétique soulèvement du peuple n'a jamais quitté l'esprit du poète qui savait que le temps, aussi long et vertigineux qu'il fût, était son meilleur allié.

6

Paris

Louis Aragon a écrit : « Personne n'a jamais parlé de Paris comme Victor Hugo. » Il « aura été le premier, celui qui a fait naître Paris à la vie lyrique ». Pour le croire, il faut ouvrir l'un des plus beaux romans de l'écrivain : *Notre-Dame de Paris*, le seul livre qui offre une vue « à vol d'oiseau » de la capitale :

« Si admirable que vous semble le Paris d'à présent, refaites le Paris du quinzième siècle, reconstruisez-le dans votre pensée ; regardez le jour à travers cette haie surprenante d'aiguilles, de tours et de clochers ; répandez au milieu de l'immense ville, déchirez à la pointe des îles, plissez aux arches des ponts de la Seine avec ses larges flaques vertes et jaunes, plus changeante qu'une robe de serpent ;

détachez nettement sur un horizon d'azur le profil gothique de ce vieux Paris ; faites-en flotter le contour dans une brume d'hiver qui s'accroche à ses nombreuses cheminées ; noyez-le dans une nuit profonde, et regardez le jeu bizarre des ténèbres et des lumières dans ce sombre labyrinthe d'édifices ; jetez-y un rayon de lune qui le dessine vaguement et fasse sortir du brouillard les grandes têtes des tours ; ou reprenez cette noire silhouette, ravivez d'ombre les mille angles aigus des flèches et des pignons, et faites-la saillir, plus dentelée qu'une mâchoire de requin, sur le ciel de cuivre du couchant. »

Hugo ne décrit pas la ville. Il la dessine, la peint, la poétise. Les rues, les toits, les édifices : tout, sous sa plume, se met en mouvement. Tout grouille dans le Paris de Victor Hugo, quelque chose y sommeille, comme un volcan. Cette ville était la sienne, il y a longtemps habité – impasse des Feuillantines dans son enfance (près de la Montagne Sainte-Geneviève), puis rue Notre-Dame-des-Champs, rue Vaugirard, place Royale (ancienne place des Vosges), rue La Rochefoucauld, rue de

Clichy, et enfin rue d'Eylau (rebaptisée avenue Victor-Hugo en 1881). Mais Paris est aussi la ville de ses personnages. Partout, les ombres de ses héros surgissent au détour des quartiers : ici, on entend siffler Gavroche qui interpelle, dans *Les Misérables*, une vieille femme barbue : « Madame ! Vous sortez avec votre cheval ? » Là, c'est Marius voyant pour la première fois Cosette dans le jardin du Luxembourg, ou Esmeralda pendue place de Grève (devant l'actuel Hôtel de Ville).

L'amour de Hugo pour Paris va le conduire à s'intéresser de plus près au patrimoine, et à mener un combat contre la destruction des monuments nationaux. Il écrit deux pamphlets, publiés dans le recueil *Littérature et philosophie mêlées*, et réunis sous le titre : « Guerre aux démolisseurs ! » Dans le premier, il s'indigne du laxisme des politiques qui participent à « la destruction des monuments de France » :

« Le moment est venu où il n'est plus permis à qui que ce soit de garder le silence. Il faut qu'un cri universel appelle enfin la nouvelle France au secours de l'ancienne. Tous les genres de profanation, de dégradation et de ruine menacent à la fois le peu qui nous reste de ces admirables monuments du Moyen Âge, où s'est imprimée la vieille gloire nationale, auxquels s'attachent à la fois la mémoire des rois et la tradition des peuples. »

Et de citer le château de Blois, les ruines des murs d'Orléans, les vieilles tours de Vincennes, ou encore l'église Saint-Germain-des-Prés. Hugo réclame de l'action. Une Inspection générale des monuments historiques sera créée et présidée, en 1834, par Prosper Mérimée. Mais il faudra attendre 1887 pour le vote de la première loi de protection, puis 1913 pour la confirmation de cette mesure. Hugo, impatient, a créé son propre patrimoine : ses livres, dans lesquels sont conservés les édifices chéris, et d'autres merveilles que rien ne peut dégrader.

L'écriture lui permet de ne jamais quitter la capitale et ses incomparables beautés, même pendant l'exil.

En 1867, le romancier Paul Meurice fait appel à lui à l'occasion de la préparation de l'Exposition universelle, qui se tient à Paris la même année. Il souhaite réunir les grands noms de la littérature française de l'époque autour d'un livre à la gloire de la ville. Aux côtés de Dumas, Gautier ou encore Jules Michelet, Hugo écrit un texte lumineux et nostalgique : *Paris*.

Voilà seize ans qu'il a fui ; seize longues années d'éloignement et de colère qui conduisent l'écrivain à sublimer la réalité dans un récit court mais effréné. Paris est unique car il est le lieu de la rébellion fondamentale – celle de 1789 – et du soulèvement populaire. Paris est majestueux car il est, à l'image de Carthage, Jérusalem ou Rome, fondateur d'une civilisation. Paris est puissant, car il provoque à la fois le « vertige » et le « frisson ».

Avec une virtuosité verbale qui ne craint pas l'excès, Hugo s'immisce, avec la précision d'un historien, dans les rues et les moindres impasses de ce labyrinthe citadin.

Plus qu'un souvenir, la ville se mue en une construction mentale tridimensionnelle dans laquelle le proscrit peut déambuler librement, selon ses désirs. « Vouloir toujours, c'est le fait de Paris. » En écrivant cela, Hugo ne fait, ni plus ni moins, que parler de lui-même.

7
L'infini

L'Univers a toujours fasciné Hugo. Il s'est beaucoup interrogé sur ce qu'il pouvait bien y avoir au-dessus de nos têtes et sous nos pieds. De l'immensité du ciel à la profondeur de la mer, il est resté face à l'abîme comme au bord du gouffre : terrifié, mais avec la tentation de sauter. « Qu'y a-t-il donc, là, derrière ? », se demande-t-il dans ses *Proses philosophiques*.

« Est-ce nous qui avons fait le monde ? Non. Pourquoi est-il ainsi ? Nous l'ignorons. Il y a des lumières dans cette nuit. Qu'est-ce que ces lumières font là ? Elles disent l'indicible. Elles illuminent l'invisible. Elles éclairent, car elles ressemblent à des flambeaux, elles regardent, car elles ressemblent à des prunelles. Elles sont terribles et charmantes. C'est de la lueur éparse dans l'inconnu. Nous appelons cela les astres. L'ensemble de ces choses est inouï de chimère et écrasant de réalité. Un fou ne le rêverait pas, un génie ne l'imaginerait pas. Tout cela est une unité. C'est l'unité. Et je sens que j'en suis. Comment puis-je me tirer de là ? Que puis-je répondre à ces énormes levers de constellations ? Toute lumière a une bouche, et parle ; et ce qu'elle dit, je le vois. Et le ciel est plein de lumières. Les forces s'accouplent et se fécondent [...]. Tout cela est absolu. Est-ce que je sais, moi ? »

Non, il ne sait pas. Personne ne sait. Il n'éprouve que le vertige de l'espace, des ténèbres, de l'infini – ce même infini dont il fait l'expérience un soir d'été 1834, à l'Observatoire de Paris.

Ce jour-là, il rend visite à son ami François Arago, astronome et physicien. Dans le ciel, « la lune était claire, [...] on distinguait à l'œil nu [sa] rondeur obscure modelée, [sa] lueur cendrée ». Arrivé sur la plateforme, Arago lui montre le télescope, et l'invite à regarder. Hugo se penche, observe, mais ne voit rien, juste « une espèce de trou dans l'obscur ».

« Vous venez de faire un voyage », lui dit son ami. Hugo ne comprend pas encore. Alors il se penche de nouveau, regarde une seconde fois, et voit enfin une terre se dégager du néant. La vision de cette lune, grossie par la lunette, lui donne la sensation du vide, de l'inexplicable, de « l'Ignoré ».

Ce frisson, il le raconte dans un livre sublime et méconnu : *Le Promontoire du songe*. L'ouvrage est longtemps resté inédit. Aujourd'hui, en grande partie grâce à l'essayiste et poétesse Annie Le Brun, nous pouvons le redécouvrir. Derrière l'anecdote du télescope, Hugo réfléchit à la nécessité de l'imaginaire.

« L'Homme a besoin du rêve » nous dit l'écrivain. Sans lui, rien de bon, rien de possible dans l'existence et l'art. Platon, Dante, Cervantès, Milton, Thomas More : tous, un jour, ont fait un rêve. « [...] Songez, poètes », nous dit Hugo, « songez, artistes ; songez, philosophes ; penseurs, soyez rêveurs. Rêverie, c'est fécondation. » Mais il y a un danger, évidemment, un gouffre à éviter : la folie. Hugo prévient donc : « Il faut que le songeur soit plus fort que le songe. » Être vigilant, et ne pas se perdre dans le rêve que l'on choisit.

Pour l'écrivain en quête d'émotions rares, le rêve permet d'accéder à la poésie, d'échapper à la tristesse et à la mort. Grâce à lui, il peut se rendre sur la tombe de sa fille Léopoldine, morte tragiquement à l'âge de dix-neuf ans. En rêve, encore, il forme l'idée d'un monde meilleur, libéré des tyrans, de la misère, et de l'injustice. Parce qu'il rêve, il peut continuer à vivre.

« Hélas ! Tout penche, tout s'assombrit, tout s'en va. Je suis profondément triste par instants. Chaque chose est attaquée par son oxyde. Les chiffres se discréditent, les épées se déshonorent. Il y a des penseurs, il n'y a pas de semeurs. On fouille, on ne laboure pas. On glane pourtant, comme on peut, dans le sillon desséché de l'autre siècle, l'un de vieilles idées monarchiques, l'autre de vieilles idées conventionnelles. Chacun cherche quelque chose à terre ; mais cherchez donc dans le ciel ! [...] Ayez pour oreiller l'infini. »

À défaut d'oreiller, Victor Hugo s'était aménagé un *look-out* dans sa maison de

Guernesey, une pièce entre ciel et terre – ou plutôt entre ciel et mer –, étouffante de chaleur les jours de beau temps, assourdissante lorsque la tempête venait frapper aux fenêtres. Entre ces deux forces de la nature qui n'ont, justement, aucune borne, le poète écrivait des heures, sans que rien ne puisse le perturber, sans volonté de s'arrêter – de « finir ». N'est-ce pas lui qui s'interrogeait, à propos de Shakespeare : « A-t-il bientôt fini ? » La même question nous taraude le concernant. Et la même réponse : « Jamais. »

8

La laideur

« Le beau n'a qu'un type ; le laid en a mille. » Cette phrase, extraite de la préface de *Cromwell*, exprime l'essentiel de l'esthétique de Victor Hugo. La laideur le questionne, le fascine car elle est multiple et énigmatique. Le mouvement, l'articulation du corps soumis à la vie et au temps qui passe, le passionnent. Dans ses livres, une femme n'est pas « belle » indéfiniment. Fantine, dans *Les Misérables*, est d'abord décrite « éclatante de face, délicate de profil [...] sculpturale et exquise ». Mais cette beauté est rapidement dégradée, car la jeune femme est contrainte de vendre ses cheveux épais et ses dents éclatantes. À l'inverse, sa fille Cosette est qualifiée de « laide » par le narrateur avant que l'amour ne la transforme en « belle créature ».

La beauté est donc une caractéristique toute relative chez Hugo, qui lui préfère l'alliance du grotesque et du sublime – au fondement du drame romantique. Dégager la lumière de l'obscurité, révéler la grâce du monstre : tel est son dessein. Alors il peint le sombre, le caché, le pétrifié, tout ce que les hommes négligent, moquent, ou rejettent. Quasimodo, Gwynplaine, et Triboulet incarnent cet héroïsme singulier.

Quasimodo, d'abord. C'est un « misérable ». Enfant, il a été abandonné sur les marches de Notre-Dame et n'a jamais quitté, depuis, les deux tours de la bâtisse. Il est le compagnon des gargouilles, il se confond parfois avec elles. Un jour, il apparaît à la foule dans le trou d'une rosace, au-dessus d'un des portails de la cathédrale. Son aspect déclenche tout à coup l'hilarité du public, qui cherche à élire le Pape des Fous…

« Nous n'essayerons pas de donner au lecteur une idée de ce nez tétraèdre, de cette bouche en fer de cheval ; de ce petit œil gauche obstrué d'un sourcil roux en broussailles, tandis que l'œil droit disparaissait entièrement caché sous une énorme verrue ; de ces dents désordonnées, ébréchées çà et là, comme les créneaux d'une forteresse ; de cette lèvre calleuse, sur laquelle une de ces dents empiétait comme la défense d'un éléphant ; de ce menton fourchu ; et surtout de la physionomie répandue sur tout cela ; de ce mélange de malice, d'étonnement et de tristesse. Qu'on rêve, si l'on peut, cet ensemble. »

Son prénom révèle tout de lui : « quasi/modo », il est *presque* humain, mais pas tout à fait. Son visage, sa difformité le définissent et l'enferment. Tout comme Gwynplaine, à la seule différence que le protagoniste de *L'Homme qui rit* n'est pas né laid, il l'est devenu après avoir subi des violences. Victime des *comprachicos*, ces bandes qui achètent des enfants, les défigurent et les revendent, Gwynplaine doit vivre avec cette bouche ouverte jusqu'aux oreilles, ce sourire éternel qui fait rire les autres mais n'est pas, pour lui, « synonyme de joie ». Heureusement, il va rencontrer Déa, qu'il sauve des bras de sa mère morte. Déa est aveugle. Elle est la seule à ne pas rire de Gwynplaine. C'est elle qui lui dira pour la première fois : « Tu es si beau ! » Déa, c'est Victor Hugo, celle qui voit la beauté invisible, l'homme derrière le monstre.

Parler de la laideur c'est aussi interroger l'humanité du laid. Le bouffon Triboulet, dans *Le Roi s'amuse,* a tout du personnage détestable. Il « hait [...] les hommes parce qu'ils n'ont pas tous une bosse sur le dos. [...] Il déprave le roi, il le corrompt, il l'abrutit ; il le pousse à la tyrannie, à l'ignorance, au vice », tout cela parce qu'il veut venger sa fille. Triboulet est un bouffon malheureux. Le drame est qu'il n'a pas le droit de le montrer :

Ô Dieu ! triste et l'humeur mauvaise,
Pris dans un corps mal fait où je suis mal à l'aise,
Tout rempli de dégoût de ma difformité,
Jaloux de toute force et de toute beauté,
Entouré de splendeurs qui me rendent plus sombre,
Parfois, farouche et seul, si je cherche un peu l'ombre,
Si je veux recueillir et calmer un moment
Mon âme qui sanglote et pleure amèrement,
Mon maître tout à coup survient, mon joyeux maître,
Qui, tout-puissant, aimé des femmes, content d'être,

À force de bonheur oubliant le tombeau,
Grand, jeune, et bien portant, et roi de France, et beau,
Me pousse avec le pied dans l'ombre où je soupire,
Et me dit en bâillant : Bouffon, fais-moi donc rire !
– Ô pauvre fou de cour ! – C'est un homme après tout !

À travers sa réflexion sur la difformité considérée comme splendeur, Hugo a poursuivi son inlassable combat pour la défense d'une humanité en souffrance. Il exprime clairement cette préférence en déclarant dans *Les Contemplations* aimer « l'araignée et l'ortie ». Loin de toute norme, la beauté doit être grimaçante, dérangeante et hybride. « Convulsive », écrira plus tard André Breton.

9
Écrits de jeunesse

« Une voix criait dans le désert. » C'est l'ouverture des *Odes* de Victor Hugo, son premier livre publié en 1822. Dans ce recueil sont réunis tous ses poèmes de jeunesse, encore imprégnés du romantisme « début de siècle ». La « voix » qui s'élève sous nos yeux est à la fois poétique et politique. Hugo l'explique dans sa préface : le poète « doit marcher devant les peuples comme une lumière et leur montrer le chemin. » Ce credo ne changera pas : on le retrouve en filigrane dans *Les Châtiments* de 1853, mais également dans ses nombreux romans et discours. Le futur prophète est déjà là, en germe, mais il n'a pas encore poussé son cri.

À cette époque, Hugo est royaliste, il écrit

des poèmes à la gloire de son pays, de son armée, et se fait doucement une place dans le monde des lettres. Celui qui a appris à lire tout seul est, à vingt ans, un jeune homme dont l'écriture est la nourriture quotidienne. Certaines de ses créations ont été couronnées, comme le poème « Les Vierges de Verdun » ou « Le Rétablissement de la statue de Henri IV » qui lui valent des mentions de l'Académie. Ses vers sont appliqués, précieux, bucoliques parfois, et toujours un peu « fleur bleue » :

> Mes odes, c'est l'instant de déployer vos ailes !
> Cherchez d'un même essor les voûtes immortelles ;
> Le moment est propice… Allons !
> La foudre en grondant vous éclaire,
> Et la tempête populaire
> Se livre au vol des aquilons !

Lyrique et exalté, Hugo s'inspire de Lamartine et continue d'admirer Chateaubriand, poète royaliste par excellence à qui il dédie le poème « La Vendée ». Comme son maître, il honnit l'Empereur déchu, « Buonaparte », ce « despote » qui trouble le monde et « s'endort dans son néant ». Il faut attendre quelques années pour que sa haine de Napoléon Ier se tarisse et vise une nouvelle cible : le futur Napoléon III.

Avec ses *Odes*, puis ses *Ballades*, l'enfant sublime conquiert la scène littéraire et intègre les salons parisiens, notamment celui de Charles Nodier. Il a vingt ans de plus que Victor Hugo, a vécu la Révolution française, est devenu monarchiste, se passionne pour Shakespeare, et écrit lui-même des romans et des essais assez remarqués. Au début des années 1820, Nodier participe à la création de *La Muse française*, une revue littéraire qui défend les principes romantiques, aux côtés de six comparses. Parmi eux : Hugo. C'est le premier des « cénacles » qui voit le jour : le petit groupe de Romantiques en herbe se métamorphose en École et se réunit régulièrement autour de la figure tutélaire du jeune prodige. Nodier connaît bien le travail de son benjamin. Il a lu et aimé son premier roman, *Han d'Islande*, et le prend sous son aile. Proche du comte d'Artois (futur Charles X), Nodier invite souvent Hugo chez lui, à la Bibliothèque de l'Arsenal, où il reçoit chaque soir le Tout-Paris.

Hugo mûrit et son romantisme se teinte d'engagement. À l'aube de 1830, il commence à s'intéresser à l'injustice sociale et publie *Le Dernier Jour d'un condamné*, sans nom d'auteur, car il est encore (en théorie) royaliste, touchant une pension royale. Mais dans un nouveau recueil poétique, épique et sensuel – *Les Orientales* –, il se place une fois de plus comme celui qui « montre le chemin » vers le renouveau artistique. Hugo a entamé la marche romantique. Il fait entendre sa cadence dans la préface de son livre, ne défendant qu'une seule chose, la liberté :

« L'art n'a que faire des lisières, des menottes, des bâillons ; il vous dit : Va ! et vous lâche dans ce grand jardin de poésie, où il n'y a pas de fruit défendu. L'espace et le temps sont au poète. Que le poète donc aille où il veut, en faisant ce qui lui plaît ; c'est la loi. Qu'il croie en Dieu ou aux dieux, à Pluton ou à Satan, à Canidie ou à Morgane, ou à rien, qu'il acquitte le péage du Styx, qu'il soit du sabbat ; qu'il écrive en prose ou en vers, qu'il sculpte en marbre ou coule en bronze ; qu'il prenne pied dans tel siècle ou dans tel climat ;

qu'il soit du midi, du nord, de l'occident, de l'orient ; qu'il soit antique ou moderne ; que sa muse soit une muse ou une fée, qu'elle se drape de la colocasia ou s'ajuste la cotte-hardie. C'est à merveille… Le poète est libre… Mettons-nous à son point de vue, et voyons. »

10

Hugo et les femmes

Hugo a passionnément aimé les femmes. Elles sont partout : dans sa vie, ses livres, pour la plupart belles et combattantes. Femmes de tête ou bafouées, courtisanes ou princesses, tyranniques ou angéliques : il les admire, les idéalise parfois, n'hésite jamais à prendre leur défense.

Autour de lui, il a de bons modèles : sa mère, évidemment, Sophie Trébuchet. Séparée de son mari, le général Léopold Hugo, elle éduque ses enfants dans l'amour des livres et la haine de l'Église. Puis Adèle Foucher, l'amour de jeunesse, devient l'épouse aimante et loyale. Hugo lui est infidèle sans pouvoir se passer d'elle. Viennent ensuite Juliette Drouet et tant d'autres « créatures » dont l'écrivain croise la route. Il est sensible à leur charme, leur intelligence, mais plus encore à leur condition.

« Il est douloureux de le dire », écrit-il dans une lettre en 1872, « dans la civilisation actuelle, il y a une esclave [...] il y a un être, un être sacré, qui nous a formés de sa chair, vivifiés de son sang, nourris de son lait, remplis de son cœur, illuminés de son âme, et cet être souffre, et cet être saigne, pleure, languit, tremble. Ah ! Dévouons-nous, servons-le, défendons-le, secourons-le, protégeons-le ! Baisons les pieds de notre mère ! Avant peu, n'en doutons pas, justice sera rendue et justice sera faite. L'homme à lui seul n'est pas l'homme. »

Hugo fut l'une des rares voix masculines de son temps à plaider en faveur de l'égalité entre les sexes. Il ne comprend pas comment l'on peut considérer « la femme bonne pour les responsabilités civiles, commerciales [et] pénales, [...] pour la prison, [...] pour le bagne, pour le cachot, pour l'échafaud », et qu'il soit impossible d'admettre sa pleine et entière liberté. Dans son *Discours aux proscrits* du 24 février 1855, il pose le problème de cette inégalité en termes de « respect ». Parmi les nombreuses « choses vues », une l'a marqué : l'agression rue Taitbout d'une prostituée, battue par un homme, sans raison apparente. Ce soir-là, il intervient, témoigne même au commissariat et prend le parti de la jeune femme, futur modèle de Fantine dans *Les Misérables*. La question de la prostitution devient l'un des axes essentiels de son engagement.

Il faut malgré tout se montrer prudent. Le « féminisme » d'Hugo, s'il est réel, se révèle aussi très ambigu. Dans son esprit, sous sa plume, persiste une image rêvée de la femme, encore très liée aux représentations du Romantisme. Dans *La Légende des siècles*, la femme est sacralisée par le poète en « *argile idéale* », sainte, vierge, intouchable ; elle fait aussi souffrir l'homme, en ne l'aimant pas comme il voudrait être aimé. D'autre part, la question de l'égalité des sexes ne s'est véritablement posée pour l'écrivain qu'à partir de 1848, lorsqu'il commence à basculer à gauche. Les premiers mouvements féministes émergent alors en France. Des figures telles que Pauline Roland apparaissent et font entendre leur voix… Jeanne Deroin et Désirée Gay animent des associations, écrivent des articles, et s'engagent en politique. Peu à peu s'opère une prise de conscience. Il faut changer les lois, faire de la femme une citoyenne.

Exilé de France dès 1851, son engagement s'accroît et dépasse les frontières. Il prononce dès l'année suivante l'éloge funèbre d'une autre proscrite, la valeureuse Louise Julien, morte trop tôt ; puis il apporte son soutien à trois cents Cubaines qui lui écrivent pour protester contre la répression des gouverneurs espagnols. Il correspond avec Léon Richer, rédacteur en chef du journal *Le Droit des femmes*, et prend la défense des « pétroleuses » pendant la Commune de 1871, dédiant à Louise Michel un poème sublime, intitulé « Viro Major ».

La jeune institutrice bretonne à la « majesté farouche » voue à Victor Hugo une ardente passion littéraire, lui écrivant fréquemment pour lui soumettre des textes personnels ou lui demander conseil. Arrêtée et déportée en Nouvelle-Calédonie, comme beaucoup d'autres communards, elle ne manque pas d'adresser ces mots à un homme qui connaît si bien le bannissement : « Vous qui paraissez plus grand quand je vois tous les autres tomber autour de vous. »

Le regard de Victor Hugo sur les femmes sera souvent empreint d'excès, mais jamais de malveillance. « Le dix-huitième siècle a proclamé le droit de l'homme ; le dix-neuvième siècle proclamera le droit de la femme » : voilà la profonde espérance de l'écrivain qui sait qu'un jour ou l'autre, l'élan naîtra de ce « sexe fier et doux ». « C'est de vous, femmes, que viendra la victoire », écrit-il sur un brouillon de lettre quelques années avant sa mort.

11

Dieu

Victor Hugo n'est pas baptisé. Il n'a pas fait sa communion, ne s'est jamais rendu au catéchisme et n'aimait pas assister à la messe. Mais il croit en Dieu, profondément, et cela depuis sa plus tendre enfance.

Jeune poète, il s'inscrit dans les pas de Chateaubriand (auteur du *Génie du christianisme*) et se déclare royaliste-catholique. Dans ses premières lettres d'amour à Adèle, sa foi religieuse s'exprime néanmoins prudemment et avec la même indépendance d'esprit que sa mère, Sophie Trébuchet : « Je fais peu de cas, je l'avoue, de l'esprit de convention, des croyances communes, et des convictions traditionnelles », déclare-t-il en 1821. Son Dieu à lui n'a effectivement rien de commun. Il ne se limite pas au catholicisme. Hugo se définit comme un libre penseur et voue au Créateur une passion toute personnelle qui s'affermit avec les années, malgré les douloureux épisodes qu'il a traversés. Grand lecteur des textes sacrés – la Bible, évidemment, mais aussi le Coran, découvert au milieu des années 1840 –, Hugo est également panthéiste, voyant Dieu autour de lui, dans la Nature notamment, à travers la force de l'océan.

De sérieuses interrogations s'expriment dès 1827, dans *Le Dernier Jour d'un condamné*. Le narrateur, sur la route de son exécution, fait face au prêtre qui est là pour le bénir. Mais le prisonnier n'est pas sensible à ces « paroles monotones » qui ne calment pas son inquiétude : « D'où vient que sa voix n'a rien qui émeuve et qui soit ému ? », se demande-t-il. En quelques lignes, Hugo réduit à néant la parole de l'homme d'Église qui cite les auteurs latins au lieu de prendre la main du malheureux. « Dieu m'est témoin que je crois en lui. Mais que m'a-t-il dit, ce vieillard ? Rien de senti, rien d'attendri, [...] rien qui vînt de son cœur pour aller au mien. »

Cette allergie au clergé transparaît dans sa description de Claude Frollo, l'archidiacre de *Notre-Dame de Paris*, prêtre torturé par la chasteté. Elle se renforce en 1851 lorsqu'il apprend que l'archevêque de Paris a approuvé et célébré le coup d'État napoléonien. C'en est trop pour l'écrivain tout juste exilé qui décide de rompre symboliquement avec le catholicisme. Devant lui s'ouvrent de nouveaux chemins. Sa spiritualité va s'épanouir dans l'intimité et dans l'exploration de l'au-delà – celui des esprits et des fantômes.

L'expérience des tables tournantes occupe le clan Hugo durant son séjour à Jersey, autour de 1853. Depuis plusieurs années, le poète est plongé dans un chagrin qui ne le quitte pas : sa fille Léopoldine est morte, noyée à Villequier avec son mari. Les séances spirites ne ramènent pas la jeune fille, mais permettent à l'écrivain[1] de converser avec elle. Balayée, la colère de « Pauca meae », la section des *Contemplations* dédiée justement à Léopoldine et dans laquelle le poète s'en

1. D'après les témoignages inscrits par son fils Charles dans *Le Livre des tables.*

prend violemment au Dieu cruel qui lui a pris son enfant. Mais comment faire désormais ? Ne plus croire ? Non : « Croire est difficile. Ne pas croire est impossible », écrit-il dans *Post-scriptum de ma vie*.

Hugo accepte la volonté de la Providence. À la fin des *Contemplations*, il affirme ne pas douter de son existence, et s'agenouille :

Je viens à vous, Seigneur, père auquel il faut croire ;
Je vous porte, apaisé,
Les morceaux de ce cœur tout plein de votre gloire
Que vous avez brisé ;
Je viens à vous, Seigneur ! Confessant que vous êtes
Bon, clément, indulgent et doux, ô Dieu vivant !
Je conviens que vous seul savez ce que vous faites,
Et que l'homme n'est rien qu'un jonc qui tremble au vent.

La toute-puissance de Dieu se révèle indiscutable. Dans cet « étrange état crépusculaire de l'âme et de la société [...] où nous vivons », l'homme a infiniment besoin de lui. Ses années d'exil, passées à réfléchir au destin politique et social des individus, vont l'amener encore plus loin. Hugo assigne bientôt à son œuvre la mission qu'il donne au Créateur : les livres doivent délivrer une parole qui puisse toucher le plus grand nombre. La littérature est la nouvelle religion en laquelle il faut croire. Lui, n'aura qu'une seule tâche – concevoir « *une Bible humaine* » – et une dernière volonté inscrite sur son testament : « Je donne 50 000 francs aux pauvres, je désire être porté au cimetière dans leur corbillard, je refuse l'oraison de toutes les églises, je demande une prière à toutes les âmes. Je crois en Dieu. »

12

Libido

C'est un carnet noir, crypté en latin et en espagnol, tenu pendant l'exil à Guernesey. À l'intérieur sont soigneusement consignés les exploits sexuels de Victor Hugo[1]. Tout y est : les noms des jeunes filles passées dans son lit, les dates, parfois les lieux, et, à chaque fois, ce que l'écrivain a fait avec elles.

Pour Élisa Grapillot, dont nous ne saurons rien par ailleurs, il note simplement : « EG.

1. L'interprétation de ces notes divise encore aujourd'hui la critique. Henri Guillemin, dans son ouvrage *Hugo et la sexualité* (Gallimard, 1954), a proposé un décryptage détaillé de ces textes, qui offre au lecteur une possibilité de compréhension, non une vérité absolue. À chacun de tenter d'appréhender cette intimité qui est, par définition, privée, mais que Victor Hugo a tout de même souhaité partager, puisqu'il a demandé que tous ces fameux carnets soient légués, après sa mort, à la Bibliothèque nationale.

Esta manana. Todo », comprenez : « Ce matin. Tout. » Avec une certaine Hélène, il est un peu plus précis : « Helena nuda. Anniversaire de Waterloo. Bataille gagnée. » Il use des métaphores à l'envi. Pour désigner les seins, il évoque un pays montagneux : « 9 janvier 1868, Anne, nouvelle vue de Suisse. » Pour évoquer le sexe de la femme, il choisit des mots qui semblent lever tout soupçon : « 9 novembre, vu [...] le ravin d'Anne Taton. 19 avril 1868, revu la forêt de Riette-Clanche, suis allé jusqu'à la cave. Y ai trouvé l'ermite de la Chaussée d'Antin. »

Plus étonnant encore sont ces nombreux chiffres qui apparaissent comme autant de sommes dépensées pour chacune de ses parenthèses érotiques. Certaines de ces aventures avaient donc bel et bien un coût, plus ou moins élevé, Victor Hugo mettant un point d'honneur à rémunérer celles qui lui donnaient du plaisir. De la simple pièce, quand la jeune fille se déshabille seulement, jusqu'à 4 ou 5 francs dès que l'étreinte est engagée. Donner un peu d'argent à ces filles – souvent à son service en tant que domestiques, donc pauvres – témoignait de l'intérêt qu'il leur portait. Il n'était pas rare, non plus, qu'il leur rende lui-même des services : leur achetant des vêtements, du charbon, ou payant le médecin à d'autres impécunieuses.

Victor Hugo était un grand séducteur, et aurait tout tenté pour un moment passé dans les bras d'une jolie fille. Il les aime plutôt jeunes, avouant avec subtilité ne pas être « bouquiniste en amour ». L'intensité de sa vie sexuelle fait oublier qu'adolescent, il regardait sous les statues de bronze rue de Richelieu, dans l'espoir de percer le secret de l'intimité féminine, et qu'il est resté vierge jusqu'à son mariage à vingt ans.

Après plusieurs années d'heureuse union et la douloureuse affaire Sainte-Beuve, Hugo se détourne de son épouse Adèle, lui préférant les jeunes actrices. Avec Juliette Drouet, la passion physique dure un temps, leur correspondance en témoigne : « Vous saurez, mon cher amour, que je vous aime en gros et en grand. Quand vous voudrez que je vous aime en détail, vous me ferez l'honneur de passer rue Neuve-Coquenard prolongée, numéro 35, au premier, et là, je vous en donnerai pour ce que vous voudrez en avoir. » Juliette le suit en exil, Hugo pense qu'il n'y aura pas de tentations sur les îles Anglo-Normandes, mais il se trompe. Il sera séduit, et parfois courtisé par de belles jeunes femmes.

Lors de ses intenses sessions d'écriture, le désir charnel se fait plus rare. Mais la toute-puissance virile s'exprime autrement : il faut imaginer Victor Hugo au dernier étage de Hauteville House, dans sa « cabine de capitaine » avec vue sur la mer, écrivant debout et jetant les phrases sur le papier avec fougue, pendant des heures. Il possédait une force de travail colossale.

La libido est source de création, et habite l'écrivain jusqu'à un âge très avancé. Ses aventures ont attristé Juliette, lasse de voir l'homme qu'elle aimait se perdre lentement dans « le tonneau des Danaïdes ».

Au début des années 1870, il rencontre Blanche Lanvin, l'une de ses dernières passions. Elle a vingt et un ans, le poète presque soixante-dix. La vieillesse ne l'arrête pas. « Tant que l'homme peut, tant que la femme veut », peut-on lire dans ses notes. Dans son ultime cahier daté du printemps 1885, Hugo marque d’une croix chacun de ses rapports sexuels : le dernier date du 5 avril. Il meurt le 22 mai de la même année, à quatre-vingt-trois ans.

13

Napoléon Ier

Chez les Hugo, la politique est une histoire de famille. Lorsque Victor était encore enfant, deux camps s'opposaient : les royalistes (représentés par la mère, Sophie) et les napoléoniens (défendus par le père, Léopold, général d'Empire). Cette divergence d'opinion politique contribua à la séparation du couple, qui se déchirait déjà depuis plusieurs années. Victor resta vivre avec sa mère qui l'éduqua dans la tradition ultra. Le garçon se passionna très vite pour la littérature et notamment pour Chateaubriand – lui-même partisan de la dynastie des Bourbons.

Le jeune écrivain grandit dans le culte des rois de France et surtout dans la haine de la figure maudite de « Buonaparte ».

En 1822, il lui consacre une ode dans laquelle tous les mots sont subtilement choisis : Napoléon Ier n'est qu'un « despote », un « fier » qui « s'endort dans son néant », un « tyran » orgueilleux, en somme, qui écrase le monde pour collectionner les trônes. L'image surannée de l'Empereur triomphant saluant la foule est bien lointaine. C'est pourtant l'un des premiers souvenirs de Victor Hugo, qu'il raconte dans *Les Feuilles d'automne* :

> Dans une grande fête, un jour, au Panthéon,
> J'avais sept ans, je vis passer Napoléon.
>
> ....
>
> Et ce qui me frappa dans ma sainte terreur,
> Quand au front du cortège apparut l'empereur
>
> ....
>
> Ce qui me frappa, dis-je, et me resta gravé,
> Même après que le cri sur sa route élevé
> Se fut évanoui dans ma jeune mémoire,
> Ce fut de voir, parmi ces fanfares de gloire,
> Dans le bruit qu'il faisait, cet homme souverain
> Passer, muet et grave, ainsi qu'un dieu d'airain !

Il faut attendre 1823 pour voir de nouveau apparaître, sous la plume du poète, la magnificence de l'Empereur. Entre-temps,

Victor a perdu sa mère, et s'est rapproché d'un père qu'il ne voyait presque plus. Les deux hommes se sont réconciliés et compris. Dans « À mon père », le fils avoue son admiration pour les armées napoléoniennes et salue la gloire paternelle :

> Je rêve quelquefois que je saisis ton glaive,
> Ô mon père ! et je vais, dans l'ardeur qui m'enlève,
> Suivre au pays du Cid nos glorieux soldats.

En quelques strophes, Hugo réhabilite Bonaparte et Léopold qu'il désigne désormais par ces quelques mots : « Mon père, ce héros… » Peu à peu, il abandonne ses convictions royalistes, se laisse séduire par l'idée républicaine, et se range même du côté des nostalgiques du grand Empire. Dans *Les Misérables*, il rend hommage à ce « génie d'où sort le tonnerre », dans ses *Odes et Ballades*, à celui né et mort sur « deux îles », dont l'être est littéralement « insulaire », unique.

Hugo se passionne pour les batailles mythiques. Waterloo est à ses yeux un « spectacle formidable » auquel il consacre un chapitre dans *Les Misérables*.

« Toute cette cavalerie, sabres levés, étendards et trompettes au vent, formée en colonne par division, descendit, d'un même mouvement et comme un seul homme, avec la précision d'un bélier de bronze qui ouvre une brèche, la colline de la Belle-Alliance, [...] y disparut en fumée, puis, sortant de cette ombre, reparut de l'autre côté du vallon, toujours compacte et serrée [...]. Ils montaient, graves, menaçants, imperturbables [...] Derrière la crête du plateau [...] l'infanterie anglaise [...] entendait le grossissement du bruit des trois mille chevaux, le frappement alternatif et symétrique des sabots au grand trot, le froissement des cuirasses, le cliquetis des sabres, et une sorte de grand souffle farouche. Il y eut un silence redoutable, puis, subitement, [...] trois mille têtes à moustaches grises criant : "Vive l'Empereur !" [...] et ce fut comme l'entrée d'un tremblement de terre. »

Lorsqu'il écrit ces lignes, le romancier se trouve justement à Waterloo. Il s'y rend pour la première fois le 18 mai 1861, à l'occasion de l'anniversaire de la mort de l'Empereur.

En regardant l'ancien champ de bataille, il met un point final à son grand livre. À cette époque, l'écrivain proscrit maudit un autre Bonaparte – « le petit » –, contre lequel il va s'accomplir comme un pamphlétaire majeur de son temps.

14
Napoléon le Petit

Décembre 1851. Le coup d'État bonapartiste a mis fin au rêve républicain. Recherché par l'armée, Victor Hugo est parvenu à quitter la France pour la Belgique. Son exil commence.

À Bruxelles, l'écrivain dissident entame la rédaction d'un véritable brûlot. Son titre : *Napoléon le Petit,* un pamphlet en forme de cri d'indignation pour désigner le neveu du « premier » Napoléon ; ce « traître », celui en qui Hugo avait pourtant placé sa confiance pour les élections présidentielles de 1848.

À l'époque, il fallait à tout prix éviter la victoire de son concurrent, le général Eugène Cavaignac. Et tout avait fonctionné : Louis Napoléon Bonaparte avait été choisi, il avait prêté serment et juré de « rester fidèle à la

République démocratique ». Plus tard, Hugo avait même dîné avec lui, en tête à tête, à l'Elysée. Les deux hommes s'estimaient dans un silence cordial. Mais le Président ambitieux réfléchissait déjà à se représenter au terme de son premier mandat. Il demande donc la révision de la Constitution qui l'en empêche. À ce moment, Hugo, député à l'Assemblée, entrevoit la catastrophe et lance à la tribune :

« Quoi ! Après Auguste, Augustule ! Quoi ! Parce que nous avons eu Napoléon le Grand, il faut que nous ayons Napoléon le Petit ! »

La formule est trouvée, il faut maintenant lui donner corps à travers un livre aussi violent que drôle. L'audace est le maître mot de cet ouvrage, dans lequel le nouvel Empereur est dépeint sous les traits d'un « pirate ». Tantôt il est « vulgaire, puéril, théâtral et vain ». Tantôt, son action politique est inexistante :

« Ce dictateur s'agite, rendons-lui justice », convient l'écrivain. « Il ne reste pas un moment tranquille ; il sent autour de lui avec effroi la solitude et les ténèbres ; ceux qui ont peur la nuit chantent, lui il se remue. Il fait rage, il touche à tout, il court après les projets ; ne pouvant créer, il décrète ; il cherche à donner le change sur sa nullité ; c'est le mouvement perpétuel ; mais hélas ! cette roue tourne à vide. »

La parution du pamphlet en Belgique fait grand bruit et oblige Hugo au départ. Il doit trouver une nouvelle demeure. Ce sera l'Angleterre, puis Jersey. Peu importe qu'il soit chassé. Il a la ferme conviction de remplir son devoir et se réjouit que son ouvrage arrive clandestinement en France. Sa virulence ne s'arrête d'ailleurs pas à la prose. L'urgence politique conduit Hugo à entreprendre un autre chantier littéraire. C'est en 1853 qu'il publie *Les Châtiments* dont le titre, « menaçant et simple », s'est imposé naturellement. Au fil des quatre-vingt-dix-huit poèmes du livre, il continue son travail de sape en tournant en ridicule le « nain immonde ». Page après page, le poète en appelle au peuple qu'il veut guider de l'ombre à la lumière :

> Réveillez-vous, assez de honte !
> Bravez boulets et biscaïens[1].

---

1. Balles de mitrailles.

Il est temps qu'enfin le flot monte,
Assez de honte, citoyens !

Rien n'est jamais perdu pour Victor Hugo. Voilà l'idée fondamentale de son œuvre : les choses peuvent changer, le progrès peut advenir, l'Histoire n'est jamais figée. Le défi est de n'avoir pas peur, d'accepter la défaite et de continuer à avancer. C'est le sens d'« Ultima Verba », le poème incandescent des *Châtiments*. Victor Hugo s'y pose en prophète tourné vers l'avenir, seul contre tous :

J'accepte l'âpre exil, n'eût-il ni fin ni terme,
Sans chercher à savoir et sans considérer
Si quelqu'un a plié qu'on aurait cru plus ferme,
Et si plusieurs s'en vont qui devraient demeurer.
Si l'on n'est plus que mille, eh bien, j'en suis ! Si même
Ils ne sont plus que cent, je brave encor Sylla ;
S'il en demeure dix, je serai le dixième ;
Et s'il n'en reste qu'un, je serai celui-là !

15

Juliette Drouet

Juliette Drouet a le nez « pur », les yeux « diamantés », le front « clair et serein » et les cheveux « noirs abondants ». Le portrait est signé Théophile Gautier, fidèle parmi les fidèles du clan Hugo. Dans « Mademoiselle Juliette », il nous donne un aperçu de la célèbre maîtresse de l'écrivain qui vécut à ses côtés durant près de cinquante ans.

Drouet est son nom de scène. Elle est née Gauvin, s'est amourachée du sculpteur Pradier, et a une fille prénommée Claire. Elle vit à Paris de petits contrats de comédienne, mais sa beauté fascine davantage que son jeu. Victor Hugo est sidéré par son charme lors de leur première rencontre, en 1832, racontée dans *Les Voix intérieures* :

Tout en elle était feu qui brille, ardeur qui rit

....

Elle allait et passait comme un oiseau de flamme,
Mettant sans le savoir le feu dans plus d'une âme

....

Toi tu la contemplais, n'osant approcher d'elle,
Car le baril de poudre a peur de l'étincelle.

Le coup de foudre réciproque se déclenche l'année suivante, lors de la première lecture de *Lucrèce Borgia*, au Théâtre de la Porte Saint-Martin, en présence de plusieurs comédiens. Hugo est le nouveau héros de la scène française. Ce jour-là, il arrive auréolé de la gloire d'*Hernani*, et aperçoit Juliette qui ne le quitte pas des yeux. Elle décroche le rôle de la princesse Négroni, et tombe rapidement dans les bras du dramaturge. « Le 26 février 1802 je suis né à la vie », lui écrit-il en 1874, « le 17 février 1833, je suis né au bonheur dans tes bras. La première date, ce n'est que la vie, la seconde c'est l'amour. Aimer, c'est plus que vivre. »

Hugo pourvoit à ses besoins, paie ses dettes, et lui assure des rôles dans ses pièces, contre l'avis des directeurs de théâtre qui la jugent souvent mauvaise actrice. Amante et muse, elle inspire au poète certaines des plus belles pages des *Chants du crépuscule*, et l'accompagne dans ses déplacements. Ensemble, ils parcourent l'Europe, découvrent l'Allemagne, le Rhin, l'Espagne. Quand Hugo rejoint les siens, Juliette n'est jamais très loin, logeant toujours, par commodité, à deux pas de chez lui. Amoureux possessif, la légende veut qu'il l'ait un jour enfermée à double tour chez elle, pour qu'elle ne sorte pas. Entièrement dévouée à son bonheur, Juliette a rapidement fait de l'attente sa compagne quotidienne, ne cessant de témoigner à son amant un attachement inconditionnel, torturé, presque divin :

« J'ai bu tout ce que tu avais laissé dans ton verre, je rongerai ton petit bout d'aile de poulet, je me servirai de ton couteau, je mangerai dans ta cuillère. J'ai baisé la place où ta belle tête avait reposé. J'ai mis ta canne dans ma chambre. Je m'entoure, je m'imprègne de tout ce qui t'a approché. »

Hugo, lui, est insatiable. Son amour des femmes le conduit à nouer d'autres liaisons. Sa passion pour Léonie Biard est certainement l'une des plus intenses. Il tombe amoureux fou de cette jeune beauté fiancée à un peintre, et fascinée par le nouvel académicien. Juliette ne sait rien de leur idylle, même lorsque les deux amants sont pris en flagrant délit d'adultère. Nous sommes en 1845 : Hugo, fraîchement nommé pair de France, est relaxé, mais Léonie se fait enfermer au couvent pendant six mois. Une fois libre, leur amour reprend. Adèle s'en accommode, allant même jusqu'à l'encourager pour mieux éloigner Juliette qu'elle n'apprécie guère. Mais celle-ci résiste : « J'ai trop de véritable amour pour avoir un seul grain d'amour-propre. Je ramasse mon bonheur partout où je le trouve [...] Ma fierté et mon orgueil consistant à vous aimer [...]. »

La disparition soudaine de sa fille, Claire, en 1846, ravive le lien. Elle partage le même chagrin que Victor Hugo, qui a perdu Léopoldine trois ans plus tôt. Les jalousies sont oubliées. Désormais, les amants avancent ensemble, même face au coup d'État napoléonien. Non seulement Juliette suit l'écrivain proscrit en exil, mais elle organise sa fuite. Elle fait tout pour lui : l'attendre, l'assister, l'aimer, et finalement tolérer ses écarts de conduite. Elle aura cette phrase qui résume l'essentiel du rapport d'Hugo à la séduction : « Tu souffres de la plaie vive de la femme, qui va s'agrandissant toujours, parce que tu n'as pas le courage de la cautériser une fois pour toutes. Moi je souffre de t'aimer trop. Nous avons, chacun de notre côté, un mal incurable. »

Juliette Drouet meurt en 1883, après avoir survécu à Adèle et habité enfin, quelques petites années, sous le même toit que l'homme aimé.

16

« Les Misérables »

« Il se fait beaucoup de grandes actions dans les petites luttes. Il y a des bravoures opiniâtres et ignorées qui se défendent pied à pied dans l'ombre contre l'envahissement fatal des nécessités et des turpitudes. Nobles et mystérieux triomphes qu'aucun regard ne voit, qu'aucune renommée ne paye, qu'aucune fanfare ne salue. La vie, le malheur, l'isolement, l'abandon, la pauvreté, sont des champs de bataille qui ont leurs héros ; héros obscurs plus grands parfois que les héros illustres. »

Voilà peut-être la meilleure définition donnée par Victor Hugo à son roman *Les Misérables*, un livre qui jette une lumière sur le désespoir des « pauvres gens » et hisse les infortunés au rang des grandes âmes.

Son héros charismatique s'appelle Jean Valjean. Cet homme « dans la force de l'âge » vient de retrouver sa liberté, après vingt années passées dans l'enfer du bagne pour un vol de pain. Sur sa route, il rencontre Monseigneur Bienvenu, le premier de tous qui le regarde avec humanité et lui donne sa chance. Suivant sa bonne étoile, Jean Valjean prend l'identité de M. Madeleine. Il fait fortune et devient maire d'une petite ville de province, Montreuil-sur-Mer. Dans cette ascension, il rencontre la belle Fantine, victime de la malveillance des plus forts ; sa petite fille Cosette, qu'il recueille comme son propre enfant ; il croise la route du ténébreux inspecteur Javert qui va tout faire pour l'arrêter, et du jeune Marius, porté par le rêve révolutionnaire de 1830. Les mille pages du roman sont celles d'une rédemption. À force de volonté et de foi chrétienne, Jean Valjean va tenter de combattre « la veine noire de la destinée », pour devenir meilleur.

À sa parution, en 1862, le livre s'arrache. Les lecteurs patientent des heures à l'entrée des librairies, certains se cotisent pour acheter « le nouveau Victor Hugo ». On se raconte les péripéties, on craint pour la vie des personnages. Le roman se vend comme jamais, les éditeurs lancent des traductions dans une douzaine de pays, on reproche à son auteur de s'enrichir sur le dos des *vrais* miséreux. Les jalousies éclatent au grand jour : Barbey d'Aurevilly s'indigne contre la « morale évangélico-niaise » de l'histoire. Flaubert dénigre son rival qui écrit « pour la crapule catholico-socialiste ». Baudelaire avoue à sa mère avoir détesté le livre tout en affirmant le contraire à son vieil ami. Alexandre Dumas, lui, garde son sens de la formule : « Chaque volume commence par une montagne et finit par une souris. »

Rien n'atteint pourtant le roc. Victor Hugo sourit à ses détracteurs, car l'essentiel n'est pas là. Il a réalisé son rêve : écrire *pour* le peuple, *créer* un peuple de toutes pièces, le faire avancer et s'accomplir, essayer de lui donner un élan, une chance. Hugo n'est pas un utopiste, ni un magicien, mais croit profondément qu'on peut combattre l'injustice sociale. Les « misérables » ne sont pas condamnés à ses yeux. La preuve : le plus brutal des hommes peut être converti à l'humanité par la plus douce des petites filles.

« Comment se faisait-il que l'existence de Jean Valjean eût coudoyé si longtemps celle de Cosette ? Qu'était-ce que ce sombre jeu de la providence qui avait mis cet enfant en contact avec cet homme ? [...] Un crime et une innocence peuvent donc être camarades de chambrée dans le mystérieux bagne des misères ? Dans ce défilé de condamnés qu'on appelle la destinée humaine, deux fronts peuvent passer l'un près de l'autre, l'un naïf, l'autre formidable, l'un tout baigné des divines blancheurs de l'aube, l'autre à jamais blêmi par la lueur d'un éternel éclair ? Qui avait pu déterminer cet appareillement inexplicable ? De quelle façon, par suite de quel prodige, la communauté de vie avait-elle pu s'établir entre cette céleste petite et ce vieux damné ? »

Les Misérables est un roman fascinant. Il est aujourd'hui le livre le plus lu de Victor Hugo, et l'un des classiques littéraires le plus adaptés au cinéma. Il faut continuer à en tourner les pages pour saisir l'ampleur de l'épopée, la beauté de la langue, mais aussi le secret délivré par Victor Hugo à la toute fin : c'est l'amour qui sauve, et qui fait de l'homme le plus miséreux le véritable héros de l'histoire.

17

« Le mot est un être vivant »

« Qui que tu sois, si tu es pensif en lisant, c'est à toi que je dédie mon œuvre. » Victor Hugo ne pensait pas si bien dire. Pensif, n'importe quel lecteur l'est face à ce qu'il écrit, mais aussi à la manière dont il l'écrit. Hugo, c'est un esprit, une voix, mais aussi un verbe, une signature. La sienne est à chercher dans la rébellion, l'insoumission, le désir d'écrire pour l'avenir des hommes et pour une littérature libérée, enfin, de toutes règles.

Dans ses poèmes, ses romans, ses essais, ses pamphlets, il a transformé le mot en arme. Ce qu'il cherche – il le confie à sa fille Adèle dans une lettre de février 1859 –, c'est « la revanche de l'intelligence contre la force brutale. Encrier contre canon. » La parole n'est pas un son, elle est acte. L'auteur n'écrit pas un livre, il « pousse un cri ». La lecture se transforme en appel : partout, des impératifs, des interrogations, des ruptures. Les mots doivent toucher, ébranler, réveiller.

Une grandiloquence rare anime Hugo, qu'il parle de la peine de mort ou s'enflamme pour la consolidation et la défense du littoral français. Sa plume est lyrique, puissante, même lorsqu'elle est envahie par le chagrin. « Je ne fléchirai pas ! » nous dit-il dans *Les Châtiments*, le recueil qu'il écrit après avoir quitté la France en 1852, suite au coup d'État napoléonien.

> Sans plainte dans la bouche,
> Calme, le deuil au cœur, dédaignant le troupeau,
> Je vous embrasserai dans mon exil farouche,
> Patrie, ô mon autel ! liberté, mon drapeau !

Le mot, l'« ultima verba », est plus fort que la tristesse. Il permet de continuer à avancer. Hugo le compare, dans *Les Contemplations*, à « un être vivant » :

Le mot dévore, et rien ne résiste à sa dent.
À son haleine, l'âme et la lumière aidant,
L'obscure énormité lentement s'exfolie.
Il met sa force sombre en ceux que rien ne plie ;
« Oui, tout-puissant ! tel est le mot. Fou qui s'en joue !
Quand l'erreur fait un nœud dans l'homme, il le dénoue.
Il est foudre dans l'ombre et ver dans le fruit mûr.
Il sort d'une trompette, il tremble sur un mur.

Le mot, Victor Hugo le met au service des « taciturnes désespérés ». Il ne suffit pas de parler des « misérables », de leur consacrer des discours ou des romans, il faut aussi leur donner la parole, saisir leur mélodie. « Je traduirai les bégaiements », promet le narrateur de *L'Homme qui rit*, « le bruit des hommes est inarticulé comme le bruit du vent ; ils crient. Mais on ne les comprend pas, crier ainsi équivaut à se taire, et se taire est leur désarmement. [...] Moi, je serai le secours, moi, je serai la dénonciation. Je serai le Verbe du Peuple. » Et il va jusqu'à transcrire leur langage : celui qui « grince » et « chuchote », l'argot, bien sûr, la langue de Gavroche, imparfaite et riante. Il s'intéresse également à la vieille langue des marins, qu'il attrape au vol dans les rues de

Guernesey, pendant son exil, et qui l'inspire pour la rédaction des *Travailleurs de la mer*. Hugo, qui adorait chiner et collectionnait des centaines d'objets, est aussi un antiquaire des mots, un aventurier des lettres, un grand technicien du vers.

À ce sujet, il ne cache pas sa fierté d'avoir « disloqué ce grand niais d'alexandrin ». Son style a eu l'honneur rare de déclencher une « bataille ». Pour un mot rejeté en tête de vers, le dramaturge recevait des cris d'indignation, des insultes. On l'accusait de maltraiter la poésie ? Lui avait la ferme conviction de la servir. D'ailleurs, ses vers nous reviennent facilement en tête, qu'il s'agisse du début des *Feuilles d'automne* (« Ce siècle avait deux ans ! Rome remplaçait Sparte, / Déjà Napoléon perçait sous Bonaparte ») ou du fameux escalier « dérobé » d'*Hernani*. Les mots qu'il a écrits, ceux qu'il a travaillés, sont assurément ancrés dans nos mémoires. Extraordinairement vivants.

18

Léopoldine

La famille est la grande affaire de Victor Hugo, sa raison de vivre. Le glorieux écrivain n'est rien sans le clan qu'il forme avec son épouse Adèle et leurs quatre enfants.

Leur premier fils, Léopold, n'a survécu que quelques mois. Effondrés, les jeunes parents accueillent la naissance de leur fille aînée, en août 1824, comme un miracle : Léopoldine sera l'enfant de la consolation. Les Hugo la couvriront de tendresse.

« Didine » est une fillette à l'esprit vif, souriante et joueuse. Entre son père et elle, c'est l'amour fou : il lui écrit des poèmes, des lettres qu'il glisse dans sa chambre. Hugo veut la protéger de tout – de la vie, des hommes, de la violence du monde – et lui transmet donc le meilleur bouclier : son goût pour la littérature. Adolescente, elle devient même la copiste officielle de ses œuvres, devant Juliette Drouet qui a longtemps tenu ce rôle. Elle participe aux soirées données place Royale, côtoie Balzac, Vigny, Gautier, Franz Liszt. C'est une jeune fille accomplie qui voue à son père une admiration sans faille. « Cher papa, ton nom que je porte me fait l'effet d'une couronne », lui écrit-elle à quinze ans.

Léopoldine ne nourrit pas de rêves artistiques, mais a le fort désir de s'émanciper. Sa rencontre avec Charles Vacquerie en 1839 rend soudain ses aspirations possibles. Il est jeune, travailleur, et promet de l'aimer pour l'éternité. Après trois ans d'idylle secrète, le jeune couple veut se marier. Victor Hugo, méfiant mais surtout jaloux qu'un petit-bourgeois de province lui vole son enfant, fait en sorte de retarder les festivités. L'union est finalement célébrée, Hugo cédant à ce « bonheur désolant de marier sa fille. » Léopoldine part s'installer à Villequier, en Normandie. « Nous vivons de ta vie là-bas, moi, c'est à peine si je puis écrire », lui confie-t-il dans une lettre du 16 mars 1843.

Souffrant de l'éloignement, Victor Hugo arrive au Havre par bateau, un jour de juillet 1843. Léopoldine l'attend sur l'embarcadère. Les retrouvailles sont intenses, la journée inoubliable. Mais Hugo a peu de temps, il doit repartir le lendemain avec Juliette Drouet pour l'Espagne. Un voyage prévu depuis des semaines. Le père et la fille se quittent. Ils se voient pour la dernière fois.

Le 4 septembre, Charles doit accompagner son oncle chez le notaire. Léopoldine hésite à se joindre à eux : sa mère, sa sœur et ses frères sont au Havre, elle aimerait les voir. Mais elle veut aussi accompagner son époux, alors elle y va. Le courant est fort, la météo mauvaise. L'embarcation chavire et personne ne sait nager. Empêtrée dans sa jupe, Léopoldine s'accroche au bateau et coule la première. Charles tente de la sauver, mais n'y parvient pas. La légende veut qu'il ait préféré se noyer à son tour, plutôt que de vivre sans elle.

Adèle apprend la terrible nouvelle le soir même, mais n'a aucun moyen de prévenir son époux, encore en déplacement avec Juliette. Sur la route du retour, Hugo et sa maîtresse font une halte dans un café à Rochefort. Sur une table, des journaux sont posés en vrac, Hugo en prend un, l'ouvre au hasard. C'est le choc : un article y annonce la mort de sa fille. « Voilà qui est horrible », aurait-il balbutié.

L'année suivante, les pages restent blanches, Hugo travaille, mais ne publie pas. Il faut attendre la parution des *Contemplations*, en 1856, pour voir réapparaître le fantôme de Léopoldine. La section qui a pour titre « Pauca meae » lui est consacrée, pages bouleversantes dans lesquelles le poète raconte son deuil et interroge sa foi en Dieu.

Inconsolable, Hugo vit avec le souvenir de sa fille, et se rend souvent, par la pensée, auprès d'elle :

Demain, dès l'aube, à l'heure où blanchit la campagne,
Je partirai. Vois-tu, je sais que tu m'attends.
J'irai par la forêt, j'irai par la montagne.
Je ne puis demeurer loin de toi plus longtemps.
Je marcherai les yeux fixés sur mes pensées,
Sans rien voir au dehors, sans entendre aucun bruit,
Seul, inconnu, le dos courbé, les mains croisées,
Triste, et le jour pour moi sera comme la nuit.
Je ne regarderai ni l'or du soir qui tombe,
Ni les voiles au loin descendant vers Harfleur,

Et quand j'arriverai, je mettrai sur ta tombe
Un bouquet de houx vert et de bruyère en fleur.

Léopoldine est enterrée à Villequier, dans un petit cimetière qui surplombe la Seine, aux côtés de son mari et de sa mère Adèle.

19
L'exil

La décision de Victor Hugo de quitter la France en 1851 est douloureuse, mais nécessaire. Louis Napoléon Bonaparte a choisi le coup d'État contre la démocratie. Et l'écrivain dissident, ancien allié du futur Empereur, a préféré la fuite à la soumission :

« Si Bonaparte a cru que c'était son décret qui me chassait, il s'est trompé ; ce qui m'a chassé, c'est son infamie. Ce qui m'a banni, c'est ce spectacle de honte que je n'aurais pu supporter. Ce n'est pas Bonaparte qui m'a dit : va-t'en ! C'est mon âme. »

Hugo laisse son pays dans un chaos silencieux. Il a bien essayé de soulever les foules, d'appeler à la résistance. Mais les quelques barricades élevées n'ont pas suffi à éviter la violente riposte de l'armée. Alors il a réuni ses affaires. Muni d'un faux passeport et déguisé en ouvrier, il prend le train de nuit le 11 décembre 1851 pour Bruxelles. Juliette Drouet doit bientôt le rejoindre avec la malle aux manuscrits. Adèle Hugo s'occupe de la logistique à Paris. Hugo part seul. Il ne reviendra en France que dix-neuf ans plus tard.

Tandis que Bonaparte organise la ratification par plébiscite de son coup d'État, l'écrivain entame la rédaction de *L'Histoire d'un crime*, de *Napoléon le Petit* et des *Châtiments*. Moins d'un an après son arrivée en Belgique, il repart pour Londres, avant d'arriver à Jersey. Là, enfin, il a « la conscience joyeuse ». L'île lui plaît : on y parle français, on y croise d'autres proscrits de l'Empire, on peut se promener le long de la mer, et même, depuis la côte, voir la France les jours de beau temps. Adèle le rejoint avec les enfants. Tous pensent que l'exil n'excédera pas quelques mois, six tout au plus.

Ils habitent à Marine Terrace, une grande maison blanche et dénuée de meubles, qu'ils occupent pendant trois ans. Contre le gris et la fraîcheur des jours, le clan Hugo s'adonne à une routine plutôt studieuse, entre écriture, photographie et séances spirites. Mais l'écrivain est expulsé en 1855 pour avoir critiqué la visite de Napoléon III à la reine Victoria. Il trouve refuge un peu plus au nord, à Guernesey, ce « pauvre rocher perdu dans la mer et dans la nuit ».

Hauteville House est sa nouvelle demeure. Il peut l'acheter en 1856 grâce au succès commercial des *Contemplations*. Pour conjurer le vague à l'âme, Hugo s'improvise décorateur. Tapisseries, meubles, et objets de toutes sortes sont scrupuleusement choisis par l'écrivain qui fait graver des inscriptions sur certaines boiseries. Le dossier du « fauteuil des ancêtres » est recouvert de la fameuse devise « Ego Hugo », et dans la cheminée du petit salon, on trouve les noms d'Homère, de Dante, ou encore de Shakespeare, ses compagnons de pensée. Tout en haut, il s'est aménagé un *look-out* avec vue sur l'océan. Certaines de ses œuvres les plus importantes sont rédigées là-haut : *La Légende des siècles, William Shakespeare, Les*

Travailleurs de la mer, *L'Homme qui rit*, et bien sûr *Les Misérables*.

La vie quotidienne s'organise paisiblement pour lui. Levé tous les matins de bonne heure, il écrit une centaine de vers par jour. Mais le temps est long pour son entourage. Mme Hugo est lasse du calme de l'île, tout comme ses deux fils. Leur fille Adèle, de plus en plus solitaire, tient un journal de bord. Bientôt elle s'enfuira au Canada, à la poursuite du Lieutenant Pinson dont elle est éperdument amoureuse. Juliette, quant à elle, habite au coin de la rue et attend chaque jour les visites de son amant. Ils communiquent souvent par signes, Hugo agitant un mouchoir blanc à la fenêtre dès son réveil, pour lui signifier qu'il a bien dormi.

L'exilé prend racine, mais rêve toujours de liberté en regardant l'étoile « Stella », qui, la nuit, lui murmure :

> – Je suis l'astre qui vient d'abord.
> Je suis celle qu'on croit dans la tombe et sort.
> Ô nations ! je suis la poésie ardente.
> J'ai brillé sur Moïse et j'ai brillé sur Dante.
> Le lion océan est amoureux de moi.

J'arrive. Levez-vous, vertu, courage, foi !
Penseurs, esprits ! montez sur la tour, sentinelles !
Paupières, ouvrez-vous ! allumez-vous, prunelles !
Terre, émeus le sillon ; vie, éveille le bruit ;
Debout, vous qui dormez ; – car celui qui suit,
Car celui qui m'envoie en avant la première,
C'est l'ange Liberté, c'est le géant Lumière !

En 1859, l'« ange » est à portée de main. Napoléon III amnistie tous les proscrits de l'Empire, leur permettant de revenir sur le territoire français. Mais Hugo refuse de rejoindre sa patrie dans ces conditions. Il ne rentrera que si « le Petit » chute. Cette décision de principe n'est pas approuvée par tous les membres de la famille qui ne supportent plus l'exil. Jusqu'ici, ils ont vécu au gré des engagements du patriarche, fuyant quand il fallait fuir, sans se retourner. Avec ou sans lui, désormais, ils marcheront de nouveau dans Paris. Mme Hugo y fait de fréquents séjours avec ses enfants à partir de 1860, laissant parfois son époux seul sur son rocher.

20

La mer

> Oh ! Combien de marins, combien de capitaines
> Qui sont partis joyeux pour des courses lointaines,
> Dans ce morne horizon se sont évanouis !
> Combien ont disparu, dure et triste fortune !
> Dans une mer sans fond, par une nuit sans lune,
> Sous l'aveugle océan à jamais enfouis !

« Oceano nox » est un exemple parmi d'autres de la fascination de Victor Hugo pour l'élément liquide. La puissance de la mer est au cœur de son œuvre. Sa « musique ineffable et profonde » résonne sous la plupart de ses textes portés par l'appel du large. « Chose vue » et inlassablement contemplée, elle est pour le poète une amante dangereuse, douce et impétueuse à la fois, une force de la nature admirée et crainte.

Hugo la côtoie surtout pendant son exil. L'eau est sa compagne d'infortune. Il la voit tous les jours de sa fenêtre, à Jersey ou à Guernesey. Là-bas, la mer ne ressemble à aucune autre. Dans *Archipel de la Manche*, elle est « particulière » parce que « insoumise ». Les marins qui s'y risquent savent qu'il faut anticiper trois dangers : le « swinge » (le courant), le bas-fond, et le « derruble » (le « terrible », le trou qui peut se creuser dans les profondeurs). La beauté dangereuse des rochers sur lesquelles les vagues viennent se fracasser est aussi un spectacle exaltant, qui provoque chez le poète des hallucinations.

« Qui longe cette côte passe par une série de mirages. À chaque instant le rocher essaie de vous faire sa dupe. Où les illusions vont-elles se nicher ? Dans le granit. Rien de plus étrange. D'énormes crapauds de pierre sont là, sortis de l'eau sans doute pour respirer ; des nonnes géantes se hâtent, penchées sur l'horizon ; les plis pétrifiés de leur voile ont la forme de la fuite du vent ; des rois à couronnes plutoniennes méditent sur de massifs trônes à qui l'écume n'est pas épargnée ; des êtres quelconques enfouis dans la roche dressent leurs bras dehors ; on voit les doigts des mains ouvertes. Tout cela c'est la côte informe. Approchez [...]. Voici une forteresse, voici un temple fruste, voici un chaos de masures et de murs démantelés, tout l'arrachement d'une ville déserte. Il n'existe ni ville, ni temps, ni forteresse ; c'est la falaise. »

Ce paysage éveille en lui des envies d'écriture. En 1864 débute ainsi la rédaction des *Travailleurs de la mer,* roman qui laisse entendre la « voix profonde » de l'océan et des hommes qui la défient. L'histoire est celle de Gilliatt, pêcheur brave et solitaire qui connaît la mer par le cœur et va tenter de sauver un navire du naufrage, pour l'amour d'une femme. Hugo peint ici un romantisme à son apogée, notamment à travers les magnifiques descriptions de scènes de tempêtes, où le marin est seul face à la grandeur de l'océan :

« L'instant fut effroyable. Averse, ouragan, fulgurations, fulminations, vagues jusqu'aux nuages, écume, détonations, torsions frénétiques, cris, rauquements, sifflements, tout à la fois. Déchaînement de monstres. Le vent soufflait en foudre. La pluie ne tombait pas, elle croulait. Pour un pauvre homme, engagé, comme Gilliatt, avec une barque chargée, dans un entre-deux de rochers en pleine mer, pas de crise plus menaçante. […] Nul répit, pas d'interruption, pas de trêve, pas de reprise d'haleine. Il y a on ne sait quelle lâcheté dans cette prodigalité de l'inépuisable. On sent que c'est le poumon de l'infini qui souffle. […] Par moments, cela avait l'air de parler, comme si quelqu'un faisait un commandement. Puis des clameurs, des clairons, des trépidations étranges, et ce grand hurlement majestueux que les marins nomment "appel de l'Océan". »

Gilliatt est finalement emporté par la vague, puissante et noire comme l'a lui-même ébauchée Victor Hugo dans un dessin datant de 1857. Tout en bas du croquis sont inscrits ces deux mots : « Ma destinée ». L'écrivain, se confondant avec la mer, s'érige en « homme océan ». Invincible.

21
Le poète de l'enfance

Lorsque l'enfant paraît, le cercle de famille
Applaudit à grands cris ; son doux regard qui brille
Fait briller tous les yeux,
Et les plus tristes fronts, les plus souillés peut-être,
Se dérident soudain à voir l'enfant paraître,
Innocent et joyeux.

Dans le recueil *Les Feuilles d'automne*, les références à la douceur de l'enfance sont nombreuses. Contre l'irrémédiable fuite du temps, le poète s'accroche à ce paradis perdu, « le plus beau moment / Que l'homme, ombre qui passe, ait sous le firmament ». Il s'y accroche et la protège de « l'horizon obscur » des hommes.

Car l'innocence de l'enfant est sans cesse

menacée. Partout, dans l'œuvre de Victor Hugo, le péril de la mort apparaît derrière la pureté de la jeunesse. L'une des pièces maîtresses des *Contemplations* évoque d'ailleurs sans détour l'instrumentalisation des plus faibles et des plus pauvres par les adultes. Il s'agit du sublime poème « Melancholia » :

> Où vont tous ces enfants dont pas un seul ne rit ?
> Ces doux êtres pensifs que la fièvre maigrit ?
> Ces filles de huit ans qu'on voit cheminer seules ?
> Ils s'en vont travailler quinze heures sous des meules ;
> .. ..
> Travail mauvais qui prend l'âge tendre en sa serre,
> Qui produit la richesse en créant la misère,
> Qui se sert d'un enfant ainsi que d'un outil !
> Progrès dont on demande : Où va-t-il ? Que veut-il ?
> Qui brise la jeunesse en fleur ! qui donne, en somme,
> Une âme à la machine et la retire à l'homme !
> Que ce travail, haï des mères, soit maudit !

Ces vers contiennent évidemment le germe du roman magistral à venir, *Les Misérables*. Derrière ces malheureux anonymes se devine déjà la petite Cosette, exploitée par les Thénardier avant d'être sauvée par Jean Valjean. Même les enfants du couple terrible – Éponine et Azelma – trouveront grâce aux yeux du romancier qui les ébauchera, malgré leur complexité, avec beaucoup de bienveillance.

Victor Hugo n'a jamais failli devant la question de la misère. Elle demeure son combat, son obsession, plus encore lorsqu'il s'agit de dénoncer la servitude de ces « doux êtres pensifs ». Élu à la Chambre des pairs, il réfléchit dès 1845 à un projet de loi visant à modifier la réglementation du travail des enfants. Mais la révolution de 1848, puis son exil précipité ne lui permettent pas de porter le projet jusqu'au bout.

Les conséquences de la brève insurrection républicaine de 1851 – riposte au coup d'État de Louis Napoléon Bonaparte – a laissé à l'écrivain un goût amer. Il garde en mémoire la mort du petit Boursier, un enfant de sept ans et demi, tué sans raison rue Tiquetonne à Paris, de deux balles dans la tête. Le poème, extrait des *Châtiments*, a pour titre « Souvenir de la nuit du 4 » et n'épargne au lecteur aucun détail du sombre épisode, repris plus tard dans *L'Histoire d'un crime*. Le poète prend ici la voix de la grand-mère de l'enfant :

Il jouait ce matin, là, devant la fenêtre !
Dire qu'ils m'ont tué ce pauvre petit être !
Il passait dans la rue, ils ont tiré dessus.
Monsieur, il était bon et doux comme Jésus.
Moi je suis vieille, il est tout simple que je parte ;
Cela n'aurait rien fait à monsieur Bonaparte

....

Pourquoi l'a-t-on tué ? je veux que l'on m'explique.
L'enfant n'a pas crié vive la République.
Nous nous taisions, debout et graves, chapeau bas,
Tremblant devant ce deuil qu'on ne console pas.

La mort des enfants, de ceux qui « n'ont point mal fait encor », est un drame que Victor Hugo connaîtra. De son vivant, il enterre quatre des siens : Léopold (mort après sa naissance), Léopoldine (morte noyée), Charles (des suites d'une apoplexie) et peu après François-Victor (qui succombe à la tuberculose). Quant à sa fille Adèle, ses troubles de la personnalité l'ont conduite à l'asile. Le père endeuillé cède la place au grand-père énamouré : les enfants de Charles, Jeanne et Georges, seront sa plus grande consolation.

22
« Les Contemplations »

Les Contemplations, publiées en 1856, sont « les Mémoires d'une âme ». Une rédaction étalée sur dix ans, onze mille vers, six livres et deux parties (« Autrefois » et « Aujourd'hui »), pour dire l'homme brisé, déchiré entre la vie et la mort. La rupture se situe en 1843, date de la disparition brutale de Léopoldine, jamais nommée dans ce recueil, mais omniprésente. Ces poèmes, écrits pour la plupart en exil à Jersey, sont son « *tombeau* ».

Victor Hugo réserve à sa fille la place centrale, à travers la longue litanie de « Pauca meae ». Ce poème ressasse les doux souvenirs et les images envolées ; il s'adresse à « l'enfant béni » et interpelle également le Dieu Tout-Puissant qu'il ne comprend plus :

L'humble enfant que Dieu m'a ravie
Rien qu'en m'aimant savait m'aider ;
C'était le bonheur de ma vie
De voir ses yeux me regarder.
Si ce Dieu n'a pas voulu clore
L'œuvre qu'il me fit commencer,
S'il veut que je travaille encore,
Il n'avait qu'à me la laisser !

.. ..

Ô Dieu ! vraiment, as-tu pu croire
Que je préférais, sous les cieux,
L'effrayant rayon de ta gloire
Aux douces lueurs de ses yeux ?

Outre la question de la foi se pose aussi celle du deuil. Comment vivre, désormais ? Comment être là quand l'enfant n'est plus ? C'est le sujet même de ces *Contemplations* qui décrivent un monde accidenté, fragile, et soumis à des « lois moroses ».

Hissé en haut de sa « pyramide » (c'est ainsi qu'il désigne son livre, dans une lettre à son éditeur Hetzel), le poète regarde d'abord en arrière : ses combats, ses luttes, ses victoires, ses pertes. Çà et là, la présence d'une femme, ou d'une mère, et la certitude qu'il faut s'accrocher à l'amour : « Aimons toujours ! Aimons encore ! », lance-t-il au lecteur, avant d'avouer son intime conviction : « L'amour seul reste. »

De l'autre côté se trouve une pente glissante, dangereuse, celle du désespoir, le poète cherche le moyen d'échapper au « bagne terrestre » :

Maintenant, mon regard ne s'ouvre qu'à demi ;
Je ne me tourne plus même quand on me nomme ;
Je suis plein de stupeur et d'ennui, comme un homme
Qui se lève avant l'aube et qui n'a pas dormi.
Je ne daigne plus même, en ma sombre paresse,
Répondre à l'envieux dont la bouche me nuit.
Ô Seigneur ! Ouvrez-moi les portes de la nuit,
Afin que je m'en aille et que je disparaisse !

Vivre ou mourir, Hugo doit choisir. Il choisit de vivre, en quête d'une nouvelle manière d'être au monde. « Je suis celui que rien n'arrête, / Celui qui va ». Optimiste, lumineux, le poème n'est plus seulement intime, il devient ce miroir dans lequel tout individu peut se regarder : « Ma vie est la vôtre, votre vie est la mienne, vous vivez ce que je vis ; la destinée est une. »

Son livre est une bouteille à la mer lancée avec l'espoir de la consolation. S'il n'est pas encore réconcilié avec la vie, Hugo a en tout cas la volonté de renaître :

> Tout sera dit. Le mal expirera ; les larmes
> Tariront ; plus de fers, plus de deuils, plus d'alarmes ;
> L'affreux gouffre inclément
> Cessera d'être sourd, et bégaiera : Qu'entends-je ?
> Les douleurs finiront dans toute l'ombre ; un ange
> Criera : Commencement !

23

Le rêve européen

Victor Hugo voulait « signer [sa] vie par un grand acte, et mourir ». Alors il a fait un rêve, et a tout mis en œuvre pour son accomplissement. L'œil sans cesse tourné vers l'avenir et le progrès, il a souhaité et défendu la création des « États-Unis d'Europe », qui incarnerait tout ce en quoi il croyait depuis toujours : l'idéal de la liberté et l'unification des peuples.

L'écrivain n'est pas précurseur dans ce domaine, d'autres avant lui ont déjà formulé l'idée d'un regroupement des nations européennes. Mais il anticipe indéniablement les projets d'Aristide Briand en 1929, ou ceux de Jean Monnet bien plus tard, dans les années 1950. Son modèle, c'est bien sûr le Nouveau Monde, les États-Unis d'Amérique. Mais il va plus loin encore. Suppression des frontières, liberté de circulation des individus et des marchandises, unité monétaire : le rêve européen d'Hugo est indissociable de l'idéal de fraternité qui nourrit toute sa pensée et son œuvre.

Sur ces fondements s'érige l'idée d'une Europe capable de réunir les hommes de toutes les nationalités. Lors du Congrès international de la paix organisé à Paris en 1849, Victor Hugo prononce un discours habile et plein d'espoir, avec toute la grandiloquence qu'on lui connaît :

« Un jour viendra où la guerre paraîtra aussi absurde et sera aussi impossible entre Paris et Londres, entre Pétersbourg et Berlin, entre Vienne et Turin, qu'elle serait impossible et qu'elle paraîtrait absurde aujourd'hui entre Rouen et Amiens, entre Boston et Philadelphie. Un jour viendra où vous France, vous Russie, vous Italie, vous Angleterre, vous Allemagne, vous toutes nations du continent, sans perdre vos qualités distinctes et votre glorieuse individualité, vous vous fondrez étroitement dans une unité supérieure et vous constituerez la fraternité européenne [...]. Un jour viendra où il n'y aura plus d'autres champs de bataille que les marchés s'ouvrant au commerce et les esprits s'ouvrant aux idées. […] Comme tous les peuples lointains se touchent ! Comme les distances se rapprochent ! Et le rapprochement, c'est le commencement de la fraternité. Grâce aux chemins de fer, l'Europe bientôt ne sera pas plus grande que ne l'était la France au Moyen Âge ! Grâce aux navires à vapeur, on traverse aujourd'hui l'océan plus aisément qu'on ne traversait autrefois la Méditerranée ! Avant peu, l'homme parcourra la Terre comme les dieux d'Homère parcouraient le ciel, en trois pas. Encore quelques années, et le fil électrique de la concorde entourera le Globe et étreindra le monde ! »

Ce plaidoyer pour l'amour universel contient plus d'utopie que de réalité. Ce discours a néanmoins le mérite de parler de paix au cœur d'une époque usée par des conflits et des bouleversements de tout ordre. Hugo en est parfois le témoin impuissant. La guerre sanglante qui oppose, dans les années 1870, la Serbie à l'Empire turc agit sur lui comme un révélateur.

« [...] à l'heure qu'il est, tout près de nous, là, sous nos yeux, on massacre, on incendie, on pille, on extermine, on égorge les pères et les mères, on vend les petites filles et les petits garçons ; [...] c'est que tout cela est horrible, c'est qu'il suffirait d'un geste des gouvernements d'Europe pour l'empêcher, et que les sauvages qui commettent ces forfaits sont effrayants, et que les civilisés qui les laissent commettre sont épouvantables. »

Il devient urgent de fonder une communauté européenne capable de protéger les hommes. Ce continent uni, Hugo imagine sa construction autour du Rhin et de l'axe franco-allemand. Mais il réserve à Paris la plus belle place. La ville de toutes les libertés devra être la « tête » de ce corps parfait.

Hugo l'écrit dans *Les Rayons et les ombres*, il a toujours été « un rêveur sacré », son imagination se muant souvent en étonnante clairvoyance. L'avenir de sa « nation extraordinaire », tel qu'il le décrit dans le premier chapitre de son essai *Paris* (1867), n'est pas exempt de profonds changements dont il nous faut reconnaître qu'ils se sont aujourd'hui réalisés. Indignée et guerrière, l'Europe du XXe siècle refusera l'échafaud mais creusera des tunnels sous les montagnes, oubliant « les beautés et magnificences » du passé au nom de la circulation des individus. Lancée à la conquête du monde, elle aura le souci de voler – peuplant le ciel de multiples « air-navires » – et celui d'offrir à la jeunesse du travail, plutôt que l'uniforme.

La fulgurance de ce texte emporte parfois son auteur vers un idéalisme assumé : « aucune exploitation, ni des petits par les gros, ni des gros par les petits, et partout la dignité de l'utilité de chacun sentie par tous ; l'idée de domesticité purgée de l'idée de servitude [...] ; la prison transformée en école ; l'ignorance, qui est la suprême indigence, abolie [...] ; la politique résorbée par la science [...]. L'émeute des intelligences vers l'aurore. L'impatience du bien gourmandant les lenteurs et les timidités. Toute autre colère disparue. Un peuple fouillant les flancs de la nuit et opérant, au profit du genre humain, une immense extraction de clarté. Voilà quelle sera cette nation. »

Si fantasmés qu'ils aient pu l'être, ces

« États-Unis d'Europe » sont finalement devenus l'Union européenne qui compte aujourd'hui plus de cinq cents millions de citoyens.

24
Shakespeare

Un jour d'automne, Victor Hugo et son fils François-Victor sont assis côte à côte, face à une fenêtre donnant sur la mer, silencieux. Soudain le fils demande au père comment il compte remplir ce temps infini de l'exil. Hugo, qui raconte cet épisode dans l'essai *William Shakespeare*, a cette réponse grave : « Je regarderai l'océan. » Le fils ajoute : « Moi, je traduirai Shakespeare. »

L'entreprise est de taille et sera menée à bien. Elle s'inscrit dans le sillage paternel. Le dramaturge anglais, dont on fête à l'époque le tricentenaire de sa naissance, est l'un des plus anciens frères de pensée de Victor Hugo. Le poète le compte dans le cercle très fermé des « hommes océans » :

« Ce Tout dans Un, cet inattendu dans l'immuable, ce vaste prodige de la monotonie inépuisablement variée, ce niveau après ce bouleversement, ces enfers et ces paradis de l'immensité éternellement émue, cet insondable, tout cela peut être dans un esprit, et alors cet esprit s'appelle génie, et vous avez Eschyle, vous avez Isaïe, vous avez Juvénal, vous avez Dante, vous avez Michel-Ange, et vous avez Shakespeare, et c'est la même chose de regarder ces âmes ou de regarder l'océan. »

Nous sommes en 1864. Avec la publication de *William Shakespeare*, dédié à sa terre d'asile, l'Angleterre, Victor Hugo fait coup double : il célèbre le plus grand dramaturge moderne, et poursuit dans le même temps sa réflexion sur la fonction de l'art – déjà entamée avec *Cromwell*.

Son amour de Shakespeare a débuté à Reims, avec Charles Nodier. En ce début de XIXe siècle, l'auteur d'*Hamlet* n'est pas très en vogue, il a même été sévèrement critiqué par les Lumières. Il fait partie des « génies outrés » selon Hugo, ceux qui ont la renommée tardive. Mais, « aux livres colosses, il faut des lecteurs athlètes ». Son ancêtre littéraire a une puissance d'imagination hors norme. Il admire sa maîtrise de l'antithèse, son esthétique du travestissement et sa capacité à ne rien respecter : « il va devant lui », « toujours en travail, en fonction, en verve, en marche ».

Après de rapides repères biographiques, Hugo aborde enfin son « vrai » sujet : la liberté en art, le point de non-retour où l'homme décide de s'extraire de la « vie ordinaire » pour se hisser sur les hauteurs de la pensée. La « grande âme » sera celle qui élargira l'horizon restreint de la société, qui ira au-delà de l'attendu, du circonscrit. L'homme pensant devient « génie » dès lors qu'il renonce à la finitude :

« Non, tu n'es pas fini ! Tu n'as pas devant toi la borne, la limite, le terme, la frontière. Tu n'as pas à ton extrémité, comme l'été l'hiver, comme l'oiseau la lassitude, comme le torrent le précipice, comme l'océan la falaise, comme l'homme le sépulcre. [...] Le "tu n'iras pas plus loin", c'est toi qui le dis, et on ne te le dit pas. [...] Autre chose ! Et quoi donc ? L'obstacle ? L'obstacle à qui ? L'obstacle à la création ! L'obstacle à l'immanent ! L'obstacle au nécessaire ? Quel rêve ! [...] Toi, atteint de refroidissement ? Toi, cesser ? Toi, t'interrompre ? Toi, dire : halte ! Jamais. »

Hugo sait de quoi il parle. Lorsqu'il rédige cet ouvrage, sa liberté artistique a déjà été maintes fois remise en cause : *Marion De Lorme* (en 1829), *Hernani* et sa « bataille » (en 1830), *Le Roi s'amuse* (censuré en 1832), sans compter ses œuvres proscrites en France (*Napoléon le Petit*, ou encore *Les Châtiments*, au début des années 1850). Mais il est demeuré solide. L'humanité a non seulement besoin d'artistes qui joignent le beau à l'utile, mais surtout de penseurs qui transmettent, sans aucune retenue, leur part d'« infini ». Shakespeare est l'un d'eux. Victor Hugo aussi, de manière éclatante.

25

Ruy Blas

Ruy Blas est un rêveur. Sa propension à croire « tout possible » et à espérer « tout du sort » l'a conduit dans une impasse existentielle. Né dans le peuple, orphelin, plutôt timide et indécis, il est devenu laquais, faute de mieux. Quelques années après *Lucrèce Borgia* et *Marie Tudor*, Victor Hugo présente au public cet homme rongé par ses faiblesses et cherchant sa place dans le monde,

Au début de l'année 1838, une idée lui vient : l'ancienne salle Ventadour, en plein cœur de Paris, serait un lieu idéal pour son retour sur scène. Avec son ami Alexandre Dumas, il décide de la rouvrir sous un nouveau nom : « théâtre de la Renaissance ». Pour la soirée d'ouverture, Hugo est chargé de proposer un texte. Il écrit *Ruy Blas*, une histoire qu'il a en tête depuis longtemps. Le décor choisi est le même que celui d'*Hernani* (l'Espagne), mais l'action se déroule à la fin du XVIIe siècle, dans un pays chancelant et ruiné.

Ruy Blas est un valet amoureux fou de la reine, mais sa condition sociale lui interdit de lui ouvrir son cœur. Chaque jour, en secret, il lui dépose des fleurs, en prenant soin de ne pas être vu. Lorsque Don Salluste (son maître) apprend qu'il est banni de la cour pour avoir abusé d'une servante, il veut se venger de la reine et propose à Ruy Blas un marché : se faire passer pour un seigneur auprès d'elle et la séduire par tous les moyens. Ruy Blas, n'ayant pas la force de refuser, accepte.

Sous le nom de Don César, il va vite conquérir le cœur de la reine et gravir les échelons sociaux et politiques, jusqu'à devenir un premier ministre envié. N'ayant pas oublié d'où il vient, Ruy Blas veut défendre le peuple contre les plus puissants. Un jour, il surprend ses ministres en plein conseil, se disputant les derniers biens du royaume. Il leur lance « Bon appétit, messieurs ! » avant de leur adresser une violente réplique :

Ô ministres intègres !
Conseillers vertueux ! Voilà votre façon
De servir, serviteurs qui pillez la maison !
Donc vous n'avez pas honte et vous choisissez l'heure,
L'heure sombre où l'Espagne agonisante pleure !
Donc vous n'avez pas ici d'autres intérêts
Que remplir votre poche et vous enfuir après !
Soyez flétris, devant votre pays qui tombe,
Fossoyeurs qui venez le voler dans sa tombe !
.. ..
L'État est indigent,
L'État est épuisé de troupes et d'argent ;
.. ..
Et vous osez !… – Messieurs, en vingt ans, songez-y,
Le peuple, – j'en ai fait le compte, et c'est ainsi ! –
Portant sa charge énorme et sous laquelle il ploie,
Pour vous, pour vos plaisirs, pour vos filles de joie,
Le peuple misérable, et qu'on pressure encor,
.. ..
A sué quatre cent trente millions d'or !
L'État s'est ruiné dans ce siècle funeste,
Et vous vous disputez à qui prendra le reste !
Ce grand peuple espagnol aux membres énervés,
Qui s'est couché dans l'ombre et sur qui vous vivez,
Expire dans cet antre où son sort se termine,

Triste comme un lion mangé par la vermine !
Charles Quint, dans ces temps d'opprobre et de terreur,
Que fais-tu dans ta tombe, ô puissant empereur ?
Oh ! Lève-toi ! Viens voir ! Les bons font place aux pires.
Ce royaume effrayant, fait d'un amas d'empires,
Penche… Il nous faut ton bras ! Au secours, Charles Quint !

Sous ses faux habits de seigneur, Ruy Blas se range du côté des plus faibles. Là se trouve le « sublime » de son âme. Romantique, il l'est jusqu'au bout, puisqu'il se tue devant la femme qu'il aime. Alors on peut, comme Balzac, ne pas aimer « cette infamie en vers », ou comme Sainte-Beuve, rester sceptique sur la vraisemblance de l'intrigue. Mais on peut difficilement rester de marbre face à l'énigmatique personnage qui meurt de n'avoir pas su dire qui il était vraiment.

26

La folie

Victor Hugo fut très tôt confronté à la folie, auprès de son frère d'abord, Eugène, qui a subi dans sa jeunesse de graves instabilités d'humeur. Les deux enfants sont très proches et nourrissent, comme leur frère aîné, des ambitions de gloire et de fortune. Le mondain Abel s'intègre dans tous les cercles intellectuels du début du siècle. Eugène, plus solitaire, se fond dans le moule royaliste et s'essaie avec succès à la poésie. Victor – le petit dernier longtemps surnommé Bébête – se distingue rapidement grâce à ses dons précoces pour l'écriture. Lorsqu'il remporte, en 1817, le prix de l'Académie Française, Eugène le jalouse en silence.

L'affaire se corse quand Adèle Foucher, leur amie d'enfance, devient le sujet commun de leur attention. Victor et elle sont inséparables. C'en est trop pour Eugène qui aime secrètement la jeune fille et ne peut supporter de voir le bonheur lui échapper. Le jour du mariage, en 1822, il sombre dans une colère intense qui ne fera que s'accroître avec le temps. Après avoir tenté de blesser au couteau sa belle-mère – Catherine Thomas, la nouvelle femme de son père –, Eugène est hospitalisé dans une maison de santé privée, avant d'être interné à Charenton. Un rapport médical daté de 1827 stipule que son état est « entièrement désespéré ». Victor lui rend visite pour la dernière fois en 1832, cinq ans avant qu'il ne meure, isolé de tous, sans avoir recouvré la raison.

La perte de ce frère laisse Hugo dans l'incompréhension absolue. En témoigne ce passage des *Voix intérieures* :

Tu n'as rien dit de mal, tu n'as rien fait d'étrange.
Comme une vierge meurt, comme s'envole un ange,
Jeune homme, tu t'en vas !
Rien n'a souillé ta main ni ton cœur ; dans ce monde
Où chacun court, se hâte, se forge, et crie, et gronde,
À peine tu rêvas !

Des années plus tard, le destin de sa plus jeune fille, Adèle, va ranimer les vieux démons. Si Léopoldine était « le cygne », Adèle est la « colombe ». Née en 1830, pendant les Trois Glorieuses, cette jeune fille accomplie est proche de son père qui remarque très tôt sa fragilité et sa mélancolie. Elle se passionne pour l'écriture, le piano, et impressionne beaucoup les gens qui la rencontrent. Balzac écrira à Mme Hanska, le 9 avril 1843 : c'est « la plus grande beauté que j'aurai vue de ma vie ». La mort de sa sœur est un drame. Ses deux frères sont carriéristes. Elle, préfère la vie à la maison, la solitude de sa chambre et la rédaction de son journal intime. À seize ans, elle tombe amoureuse d'un ami de la famille, Auguste Vacquerie, le frère de l'époux de Léopoldine. Dans ses cahiers, à la date du 28 mars 1852, elle se rêve déjà en héroïne romantique :

« Qu'est-ce qui pourrait rendre ce qui se passe en moi depuis quelque temps ? Tantôt, j'ai de violentes aspirations vers le grand idéal, dans une mort pure et grandiose, tantôt vers une vie mitigée de grandeur [...]. Tantôt je rêve la vie brûlée, ardente, violente, vivante

[...] où je me vois étant fille de Victor Hugo, [...] jeune, belle, éclatante [...]. Mais hélas tantôt aussi je regrette mon passé [...]. Alors, je me dis pourquoi ne pas "terminer" cette vie d'amour et de grandeur si exceptionnelle dans ce bas monde où tout est vanité et corruption ? Pourquoi ne pas mourir en femme exceptionnelle ? »

L'exil n'améliore pas ses tendances dépressives mais lui permet de faire la rencontre d'un beau lieutenant anglais. Il s'appelle Albert Pinson, et leur histoire d'amour (présumée) est très énigmatique. À partir de 1856, après avoir été gravement malade – une fièvre qui la fait délirer pendant plusieurs jours –, elle se mure dans le silence et écrit de nombreuses lettres à Pinson pour le persuader de l'épouser.

Sans nouvelle de lui, Adèle s'enfuit un jour de juin 1863. Son père croit naïvement qu'elle part rejoindre sa mère à Paris, mais Adèle prend la direction de Londres, puis d'Halifax, au Canada. Ce voyage tourne à la catastrophe. La jeune fille apprend que Pinson s'est marié, elle perd la tête et le suit à La Barbade, aux

Antilles. Rongés par l'inquiétude, ses parents ne savent plus que faire pour la convaincre de rentrer. Mme Hugo meurt en 1868, sans avoir revu sa fille. Trois ans plus tard, Charles, son frère, décède à son tour.

Adèle revient finalement l'année suivante. Elle a quarante-deux ans, ne parle quasiment plus et entend des voix. Victor Hugo la fait immédiatement interner à Saint-Mandé. Elle y reste jusqu'à sa mort en 1915. Qu'a-t-elle ressenti à la mort de son père ? Difficile de savoir. Ce que l'on sait, en revanche, c'est qu'elle a été « coquette », qu'elle parlait souvent aux fantômes, et qu'elle écrivait tous les jours, inlassablement. Les études psychiatriques menées bien après son décès ont posé un diagnostic plausible : schizophrénie.

27

Les grandes héroïnes

La femme, dans l'œuvre de Victor Hugo, ne tient pas un second rôle. Mère ou fille, puissante, fragile, les deux à la fois : elle renferme un « mystère » insondable et « rend la terre acceptable à l'homme ». Rien que ça.

Hugo la sacralise, notamment au théâtre. *Marion de Lorme, Marie Tudor, Lucrèce Borgia* : l'Histoire donne au dramaturge des perspectives d'aventures, et lui permet de créer des héroïnes complexes, inquiétantes, tout sauf ordinaires. Le choix, par exemple, de s'intéresser à la célèbre fille du clan Borgia, personnage sulfureux par excellence, est un parti pris éminemment littéraire. Dans le portrait de cette aristocrate italienne réputée pour sa cruauté, il souhaite montrer ce qu'elle dissimule :

« Prenez la difformité morale la plus hideuse, la plus repoussante, la plus complète ; placez-la où elle ressort le mieux, dans le cœur d'une femme, avec toutes les conditions de beauté physique et de la grandeur royale, qui donnent de la saillie au crime, et maintenant mêlez à toute cette difformité morale un sentiment pur, le plus pur que la femme puisse éprouver, le sentiment maternel ; dans votre monstre mettez une mère, et le monstre intéressera et le monstre fera pleurer, et cette créature qui faisait peur fera pitié, et cette âme difforme deviendra presque belle à vos yeux. [...] La maternité purifiant la difformité morale, voilà Lucrèce Borgia. »

Le drame est double : une femme incestueuse affronte son fils caché ; le fils, Gennaro, aime follement sa mère sans la connaître, et maudit dans le même temps Lucrèce, dont il sait les crimes. Résultat : l'héroïne monstrueuse se fait tuer par sa progéniture tant aimée. Au moins meurt-elle en mère.

Tout comme Fantine, dans un autre

registre. Sa route est aussi celle d'une déchéance. C'est une « misérable » sans ressources, contrainte de confier sa fille Cosette aux terribles Thénardier. Victime de la violence des hommes, prostituée, elle est recueillie par Jean Valjean, devenu M. Madeleine. Il la soigne et lui promet de lui ramener son enfant. Mais elle décède d'épuisement avant de l'avoir revue.

Les femmes chez Hugo sont souvent des martyres. Prenons Esmeralda. La belle bohémienne, courtisée pour sa beauté et finalement pendue en place publique, apparaît pour la première fois dans *Notre-Dame de Paris,* dansant dans la rue, sublime :

« Elle dansait, elle tournait, elle tourbillonnait sur un vieux tapis de Perse, jeté négligemment sous ses pieds ; et chaque fois qu'en tournoyant sa rayonnante figure passait devant vous, ses grands yeux noirs vous jetaient un éclair. Autour d'elle tous les regards étaient fixes, toutes les bouches ouvertes ; [...] c'était une surnaturelle créature ».

Elle fascine tous les hommes autour d'elles : Frollo (qui la désire mais ne la possédera pas), Phœbus (qui l'aime mais n'arrivera pas à la protéger), et bien sûr Quasimodo, qui prend soin d'elle en la cachant dans la cathédrale, pour mourir finalement à ses côtés.

Une autre héroïne est désirée par trois hommes : Dona Sol, dans *Hernani*. Comme la Juliette de Shakespeare, elle aime un homme qu'elle ne devrait pas aimer. C'est une femme prête à tout risquer par amour, une femme qui pose l'amour comme valeur absolue ; une romantique, en somme, qui n'a pas peur de dire à l'élu :

Écoutez,
Allez où vous voudrez, j'irai. Restez, partez,
Je suis à vous. Pourquoi fais-je ainsi ? Je l'ignore.
J'ai besoin de vous voir, et de vous voir encore,
Et de vous voir toujours. Quand le bruit de vos pas
S'efface, alors je crois que mon cœur ne bat pas ;
Vous me manquez, je suis absente de moi-même ;
Mais dès qu'enfin ce pas que j'attends et que j'aime
Vient frapper mon oreille, alors il me souvient
Que je vis, et je sens mon âme qui revient !

28

La peine de mort

Espagne, 1812, à Burgos. Victor Hugo a dix ans. Accompagné de son frère Eugène et de sa mère, il assiste à un sombre spectacle. Pour la première fois, il voit un échafaud et la foule rugissante qui l'entoure. Un homme est attaché, terrifié. On lui tend un crucifix. Hugo ne se remettra jamais de cette scène, ni de celles qui suivront – et elles sont nombreuses. La bête immonde de la guillotine est partout présente dans son œuvre, notamment dans *Les Misérables*.

« L'échafaud est une vision. L'échafaud n'est pas une charpente, l'échafaud n'est pas une machine, l'échafaud n'est pas une mécanique inerte faite de bois, de fer et de cordes. Il semble que ce soit une sorte d'être qui a je ne sais quelle sombre initiative [...] il dévore ; il mange de la chair, il boit du sang. [C'est] une sorte de monstre fabriqué par le juge et par le charpentier, un spectre qui semble vivre d'une espèce de vie épouvantable faite de toute la mort qu'il a donnée. »

Dès lors, Victor Hugo s'assigne une mission : sauver les hommes de cette barbarie. Le voilà lancé, à vingt-sept ans, dans le plus difficile combat de sa vie – un combat qu'il entend bien gagner par la voix et la plume.

Avec *Le Dernier Jour d'un condamné,* il frappe fort. Il offre le récit bouleversant d'un homme sur le point de mourir et livrant ses dernières pensées. La grande audace réside dans la forme : l'ouvrage est tout entier écrit à la première personne, le lecteur pouvant ainsi s'identifier au prisonnier. Aucun indice sur son identité, ni même sur son crime. Ce condamné à mort est seul, dans sa cellule, et nous sommes enfermés avec lui, dans sa tête. Le roman est publié sans nom d'auteur en 1829. Trois ans plus tard, Hugo rédige une préface retentissante. Elle marque le début de la lutte politique :

« La société est entre deux. Le châtiment est au-dessus d'elle, la vengeance au-dessous. [...] Elle ne doit pas «punir pour se venger» ; elle doit corriger pour améliorer. »

L'humanisme hugolien est en marche. Il part en guerre contre la justice française et européenne. En 1848, il prononce son fameux discours à l'Assemblée pour l'abolition de la peine de mort ; il s'élève en 1846 contre l'exécution de Pierre Lecomte – le garde forestier du domaine de Fontainebleau qui a voulu tuer le roi Louis-Philippe –, sans succès ; son fils Charles est accusé d'avoir outragé la loi en décrivant l'exécution d'un homme dans un journal, il le défend ; puis, en 1854, l'affaire Tapner le scandalise. Après avoir échoué à sauver cet Anglais de la pendaison, il apprend que l'homme a enduré un véritable supplice (le bourreau a dû se pendre aux pieds du condamné pour que mort s'ensuive). De cette époque datent plusieurs dessins de l'écrivain, des silhouettes de pendus sous-titrées « Ecce lex » : voici la loi.

En 1848, le gouvernement provisoire vote l'abolition de la peine de mort pour les infractions de nature politique, mais l'abolition totale est rejetée. Deux ans plus tard, c'est en s'opposant à la déportation que Victor Hugo entonne une nouvelle fois son brûlant refrain : « [...] quoi qu'on fasse, quoi qu'il arrive, toutes les fois qu'il s'agira de chercher une inspiration ou un conseil, je suis de ceux qui n'hésiteront jamais entre cette vierge qu'on appelle la conscience et cette prostituée qu'on appelle la raison d'État ».

Sa conscience, donc, lui dicte de bâtir un avenir dont les hommes pourront être fiers. Bien plus tard, en 1981, Robert Badinter sera l'un d'eux et fera voter sous la présidence de François Mitterrand l'abolition « pure, simple et définitive » de la peine de mort. Hugo n'a cessé jusqu'à la fin de recentrer le débat non pas sur le crime, mais sur l'origine du crime. Qu'est-ce qui pousse un homme à voler, à tuer ? Les dernières pages du roman *Claude Gueux*, « misérable » avant la lettre, apportent des éléments de réponse :

« Qui est réellement coupable ? Est-ce lui ? Est-ce nous ? Questions sévères, questions poignantes, qui sollicitent à cette heure toutes les intelligences. […] Messieurs des centres, messieurs des extrémités, le gros du peuple souffre. […] La misère le pousse au crime ou au vice, selon le sexe. […] Cette maladie, vous la traitez mal. Étudiez-la mieux. […] Refaites votre pénalité, refaites vos codes, refaites vos prisons, refaites vos juges. Remettez les lois au pas des mœurs. Messieurs, il se coupe trop de têtes par an en France. […] Allez dans les bagnes. […] Examinez un à un tous ces damnés de la loi humaine. Calculez l'inclinaison de tous ces profils. […] Cette tête de l'homme du peuple, cultivez-la, défrichez-la, arrosez-la, fécondez-la, éclairez-la, moralisez-la, utilisez-la ; vous n'aurez pas besoin de la couper. »

Un autre combat commence alors. Il a pour nom l'éducation.

29

L'humour

Louis Jouvet trouvait dommage d'admirer le monument Hugo sans jamais « entrer [...] dans l'édifice » ; de s'en tenir à l'image d'Épinal du poète-mage, sérieux et concentré, fermant les yeux pour penser à Dieu et les rouvrant pour regarder la mer. Car derrière l'homme grave, derrière le Romantique passionné et mélancolique, se cache en fait un vrai « loustic ». Le mot – extrait des *Misérables* – est employé par l'historien Henri Guillemin qui a consacré un petit livre fabuleux à l'humour de Victor Hugo. Joyeux et farceur, l'écrivain est un homme qui a le goût du rire, des anecdotes et de la critique acerbe.

Son humour peut être noir, décalé, misogyne parfois. Il est en tout cas nécessaire et impératif à Hugo qui aime, dans « Chansons des rues et des Blois », cultiver son esprit « gai, hardi, glouton, [et] vorace ».

Les amis sont nombreux à souligner cet aspect de sa personnalité. Sainte-Beuve le trouve non seulement drôle mais parfois « trop gai » ; le journaliste Fontaney parle volontiers d'un dîner passé chez Hugo qui lançait des « calembours à perte de vue » ; le critique dramatique Jules Janin ébauche un portrait de lui avec « un visage aimable, un sourire facile, une opulente gaîté, [et] un grand rire ». Mais de quoi riait-il ? À quoi ressemble l'humour de Victor Hugo ?

... à ce type de formules, prises au hasard d'un carnet de notes : « Ce salon me parut dominé par le communisme et le socialisme ; les hommes y étaient communs et les femmes y semblaient sociables. »

Une autre : « Voyez comme les choses changent de sens en passant du masculin au féminin : il est utile à un courtisan d'être un homme plat ; il est désastreux à une courtisane d'être une femme plate. »

À propos de la prononciation des mots

anglais (et notamment du nom d'un grand dramaturge) : « Shakespeare ! Chexpire ! On croit entendre mourir un Auvergnat »...

Choses vues ou entendues autour de lui, dans la rue, les couloirs, les cafés : Hugo a l'oreille partout et il jubile quand Juliette Drouet lui raconte que Suzanne, sa femme de chambre, déforme sans s'en rendre compte certaines expressions françaises. Un matin, à peine levée, elle aurait dit à sa maîtresse : « J'ai dormi comme un noir ! »

Ses notes de voyages regorgent elles aussi de fulgurances. Hugo était souvent sur les routes, il adorait cela. Mais certains jours étaient plus amusants que d'autres. Voici Victor Hugo, bougon, s'ennuyant comme jamais : « Je suis dans les cascades jusqu'au cou [...]. Il fait froid ; il pleut, la servante est laide. Je rencontre des Parisiens ; on me reconnaît ; on me dit bonjour ; on me force à avoir de l'esprit à des heures qui me gênent. » L'ennui est terrible. La colère est pire, et décuple les pouvoirs humoristiques de l'écrivain qui se délecte à « croquer » les hommes politiques qu'il déteste, comme le général

Trochu, éphémère président du gouvernement de la Défense nationale en 1870 :

> Trochu, participe passé du verbe trop choir, homme
> De toutes les vertus sans nombre, dont la somme
> Est zéro, soldat brave, honnête, pieux, nul,
> Bon canon, mais ayant un peu trop de recul

Louis Veuillot, fervent catholique et défenseur de l'enseignement privé, en prend aussi pour son grade : « Lorsqu'on parle de toi et qu'on t'appelle cuistre, "Istre" est un ornement. » Les complices du traître Napoléon III ne sont pas épargnés : « Ah ! Messieurs les Jésuites ! Ah ! Messieurs les absolutistes ! Vous tenez la queue de la poêle ? Patience ! Frira bien qui frira le dernier. »

30

Le goût du Moyen Âge

Chateaubriand s'était félicité, avec toute sa modestie légendaire, d'avoir souligné l'importance du Moyen Âge : « C'est moi qui ai rappelé le jeune siècle à l'admiration des vieux temples », peut-on lire dans les *Mémoires d'outre-tombe.* Cela n'a pas échappé à Victor Hugo qui, très tôt, s'est passionné pour cette période oubliée de l'Histoire.

Le XVIIe siècle l'avait boudée : trop désuète, trop barbare, on lui préférait de loin les fastes de l'Antiquité, inspirateurs du classicisme. Il faut attendre les prémices du Romantisme pour voir s'épanouir de nouveau l'attrait des artistes et des penseurs pour cette ère qui précède les temps modernes. Hugo la découvre grâce à Charles Nodier qui lui fait lire *Le*

Roman de la Rose, ou *Ivanoé* de Walter Scott. L'auteur écossais l'inspire d'ailleurs pour certaines de ses *Ballades* à la gloire des courageux chevaliers. Dans « La Mêlée », le poète met en scène une bataille ensanglantée entre les Normands et les Gallois :

Le signal est donné. – Parmi les flots de poudre,
Leurs pas courts et pressés roulent comme la foudre…
Comme deux chevaux noirs qui dévorent le frein,
Comme deux grands taureaux luttant dans les vallées,
Les deux masses de fer, à grand bruit ébranlées,
Brisent d'un même choc leur double front d'airain.

Plus tard, dans la préface des *Orientales*, le Moyen Âge est désigné comme « cette autre mer de la poésie ». La référence file dans une grande partie de son œuvre : *La Légende des siècles, Les Burgraves* mais aussi *Le Rhin* où l'écrivain s'amuse à décrire, avec une prodigieuse méticulosité, le fauteuil de Charlemagne :

« Ce fauteuil, bas, large, à dossier arrondi formé de quatre lames de marbre blanc nues et sans sculptures, assemblées par des chevrons de fer, ayant pour siège une planche de chêne recouverte d'un coussin de velours rouge, est exhaussé sur six degrés, dont deux sont de granit et quatre de marbre blanc. Sur ce fauteuil, revêtu des quatorze plaques byzantines dont je vous parlais tout à l'heure, au haut d'une estrade de pierre à laquelle conduisaient ces quatre marches de marbre blanc, la couronne en tête, le globe dans une main et le sceptre dans l'autre, l'épée germanique au côté, le manteau de l'empire sur les épaules, la croix de Jésus-Christ au cou, les pieds plongeant au sarcophage d'Auguste, l'empereur Charlemagne était assis dans son tombeau. Il est resté dans cette ombre, sur ce trône et dans cette attitude, pendant trois cent cinquante-deux ans, de 814 à 1166. »

Avec le temps, cette fascination passe. À partir de 1860, le thème disparaît lentement de son œuvre, le poète allant même jusqu'à fustiger ce qu'il aimait jadis lorsqu'il parle, dans la *Fin de Satan*, du « Dieu gothique, irritable, intolérant, [et] tueur ; / Noir vitrail effrayant qu'empourpre la lueur / Du bûcher qui flamboie et pétille derrière ».

Reste malgré tout son amour, intact, pour

les cathédrales. Il en exalte les beautés dans ses livres. Peut-être davantage que le Moyen Âge en lui-même, c'est bien la magnificence de son architecture qui l'émerveille. Dans *Notre-Dame de Paris*, le monument devient un véritable personnage, un « énorme sphinx à deux têtes assis au milieu de la ville. » Son ami Auguste Vacquerie ira plus loin : il aimait dire que la cathédrale dessinait le H de son nom.

Dans le livre III du roman, il ne se lasse pas de cette « [...] œuvre colossale d'un homme et d'un peuple [...] produit prodigieux de la cotisation de toutes les forces d'une époque, où sur chaque pierre on voit saillir en cent façons la fantaisie de l'ouvrier disciplinée par le génie de l'artiste ; sorte de création humaine, en un mot, puissante et féconde comme la création divine dont elle semble avoir dérobé le double caractère : variété, éternité ».

La cathédrale... Apogée de la construction humaine, pour Hugo. Symbole d'un absolu en art qui envoûte par « sa naïve irrégularité ». S'il connaît par cœur l'édifice parisien, ceux de Chartres et de Strasbourg demeurent aussi parmi ses favoris. Mais derrière l'incroyable monument se cache surtout son idéal de perfection littéraire, sa projection mentale de l'idée de l'écriture. Marcel Proust, dans *Le Temps retrouvé*, ne s'y trompera pas lorsqu'il reprendra cette fameuse image pour expliquer la structure de son grand roman, *À la recherche du temps perdu*.

31

L’art d’être grand-père

Moi qu’un petit enfant rend tout à fait stupide,
J’en ai deux ; George et Jeanne ; et je prends l’un pour guide,
Et l’autre pour lumière, et j’accours à leur voix,
Vu que George a deux ans et que Jeanne a dix mois.
Leurs essais d’exister sont divinement gauches ;
On croit, dans leur parole où tremblent des ébauches,
Voir un reste de ciel qui se dissipe et fuit ;
Et moi qui suis le soir, et moi qui suis la nuit,
Moi dont le destin pâle et froid se décolore,
J’ai l’attendrissement de dire : ils sont l’aurore.
Leur dialogue obscur m’ouvre des horizons ;
Ils s’entendent entr’eux, se donnent leurs raisons.
Jugez comme cela disperse mes pensées.
En moi, désirs, projets, les choses insensées,
Les choses sages, tout, à leur tendre lueur,
Tombe, et je ne suis plus qu’un bonhomme rêveur.

Ce poème fait partie des derniers que Victor Hugo aurait écrits. À soixante-quinze ans sonnés, l'écrivain est nouveau député de Paris (rangé définitivement à gauche), mais aussi un grand-père heureux. C'est à Guernesey – résidence devenue secondaire depuis son retour en France – qu'il a eu l'envie d'évoquer son amour pour ses petits-enfants. Au départ, il ne devait s'agir que d'un long poème. Puis le manuscrit est devenu un recueil à la tonalité résolument optimiste, malgré les blessures passées. Hugo, à cette époque, a déjà perdu quatre de ses enfants.

« N'importe. Allons au but, continuons. Les choses / Quand l'homme tient la clef, ne sont pas longtemps closes », écrit-il aussi dans ce livre, en tête d'un poème justement intitulé « Persévérance ». La joie désormais réside dans « l'art d'être grand-père » : il n'a pas abandonné ses sujets de prédilection (la politique, le progrès, le peuple), mais s'autorise des parenthèses plus intimistes. On peut s'étonner de le voir se promener avec ses « marmots » au Jardin des Plantes, les regarder dormir paisiblement, ou jouer avec eux, à même le sol, dès qu'il en a l'occasion.

Georges et Jeanne, les deux enfants de

Charles, sont les premiers destinataires de cet ouvrage. Quand leur père meurt en 1871, ils ont respectivement trois et deux ans. L'écrivain les recueille et les élève avec l'aide de Juliette Drouet, devenue sa compagne officielle depuis le décès de Mme Hugo. On sait peu de choses de la vie d'adulte de ces deux enfants : Jeanne a épousé Léon Daudet (le fils du célèbre auteur des *Lettres de mon moulin*), Georges est devenu peintre et a laissé derrière lui un précieux texte qui rassemble les souvenirs qu'il a de son grand-père, surnommé « Papapa ». Tout est consigné dans ces « mémoires », souvenirs lointains et images très nettes : Hugo, tôt le matin par exemple, au milieu de son « capharnaüm » de bureau, travaillant encore drapé dans sa robe de chambre, ou découpant un homard avec ses dents à la manière d'un « bon ogre ».

Georges raconte : « [...] je ne puis exprimer avec quelle mélancolique fierté, quelle joie accablante [...] je pense aujourd'hui aux vers qu'il écrivit pour nous [...] je sentirai toujours sa douce main prendre la mienne, et me conduire, par ses rêves, dans l'intimité protectrice de ceux qui ne sont plus. »

Plus loin, il se souvient d'un des derniers instants à ses côtés, lorsque Hugo, très affaibli, lui aurait prononcé ces quelques mots, ultime conseil d'un vieil homme à la jeunesse :

« L'amour !… Cherche l'amour ! L'amour rend l'homme meilleur quand l'homme est bon !… Donne la joie, et prends-en en aimant, tant que tu le pourras… Il faut aimer, mon fils, aimer bien… toute la vie. »

Hugo meurt le 22 mai 1885, dans son appartement parisien du XVIe arrondissement. Ses dernières volontés ont été respectées et son corps placé dans le « corbillard des pauvres ». Le cercueil fut exposé sous l'Arc de Triomphe avant d'être porté, le 1er juin, au Panthéon, suivi par plus d'un million de personnes.

32
L'éducation

Le roman *Claude Gueux* offre l'un des plus beaux plaidoyers d'Hugo pour l'éducation. Ce livre relate une histoire vraie : un homme a volé pour nourrir sa famille et se fait conduire en prison. Là-bas, il se lie d'amitié avec son codétenu, déplacé un jour dans une autre cellule. Claude Gueux proteste. De rage, il tue son geôlier et se retrouve condamné à mort.

L'écrivain prend la parole à la toute fin du récit pour critiquer une société – la sienne – qui assassine ceux qu'elle a façonnés. Pour Hugo, l'homme tue parce que la société l'y pousse :

« Messieurs, il se coupe trop de têtes par an en France. Puisque vous êtes en train de faire des économies, faites-en là-dessus. Puisque vous êtes en verve de suppressions, supprimez le bourreau. Avec la solde de vos quatre-vingts bourreaux, vous paierez six cents maîtres d'école. Songez au gros du peuple. Des écoles pour les enfants, des ateliers pour les hommes. Savez-vous que la France est un des pays de l'Europe où il y a le moins de natifs qui sachent lire ? [...] C'est une honte. Allez dans les bagnes. [...] tâtez tous ces crânes [...] de ces pauvres têtes mal conformées, le premier tort est à la nature sans doute, le second à l'éducation. »

Aucun homme n'est plus mauvais qu'un autre selon lui. En revanche, l'un peut être plus intelligent que l'autre, parce qu'il lui aura été donné la chance de développer les forces de son esprit. Le roman est publié en 1834, et déjà point le futur engagement républicain d'Hugo.

Élu en 1848 à l'Assemblée constituante (sur la liste des conservateurs), il va successivement se prononcer contre la peine de mort et la misère, creusant à chaque fois davantage la rupture avec son propre camp. Sa réflexion sur l'injustice faite aux plus nécessiteux trouve un juste prolongement dans la question de l'école, qui, dès 1850, fait débat.

Le comte de Falloux (tendance catholique) est chargé par le nouveau président de la République, Louis Napoléon Bonaparte, de préparer une réforme de l'enseignement. Le gouvernement souhaite le rétablissement de l'ordre social, chahuté par les dernières barricades de 1848. Hostile aux professeurs laïcs, Falloux propose de placer toutes les écoles primaires sous contrôle de l'Église. Mais c'est oublier que, face à lui, se trouve Victor Hugo, et qu'il est profondément anticlérical. Le discours prononcé par l'écrivain le 15 janvier 1850 à la tribune de l'Assemblée a précipité son basculement à gauche :

« [...] je veux l'enseignement de l'Église en dedans de l'Église et non au dehors. [...] Je veux [...] ce que voulaient nos pères, l'Église chez elle et l'État chez lui. [...] Je suis de ceux qui veulent pour ce noble pays la liberté et non la compression, la croissance continue et non l'amoindrissement, la puissance et non la servitude, la grandeur et non le néant ! Quoi ! Voilà les lois que vous nous apportez ? [...] Vous voulez pétrifier la pensée humaine, étouffer le flambeau divin, matérialiser l'esprit ! […] Vous ne voulez pas du progrès ? Vous aurez les révolutions. Aux hommes assez insensés pour dire : l'humanité ne marchera pas, Dieu répond par la terre qui tremble ! »

Le discours fait sensation, mais la loi est finalement votée. Le combat de Victor Hugo pour une école « gratuite », « obligatoire », et « laïque » va continuer. Sa conviction est intacte. L'éducation, telle qu'il en ébauche les contours dans *William Shakespeare*, a le pouvoir de sauver les hommes :

« Travailler au peuple, ceci est la grande urgence. […]

» Exister, c'est comprendre. Exister, c'est sourire du présent, c'est regarder l'avenir par-dessus la muraille. Exister, c'est avoir en soi une balance, et y peser le bien et le mal. Existter, c'est avoir la justice, la vérité, la raison, le dévouement, la probité, la sincérité, le bon sens, le droit et le devoir chevillés au cœur. Exister, c'est savoir ce qu'on vaut, ce qu'on peut, ce qu'on doit. Existence, c'est conscience. »

L'éducateur, tel un médecin, prescrit une bonne dose de livres pour remédier à la maladie de l'exclusion, et désigne l'homme de lettres comme le seul capable de nourrir les têtes et les cœurs :

« Montrer à l'homme le but humain, améliorer l'intelligence d'abord, l'animal ensuite, dédaigner la chair tant qu'on méprisera la pensée, et donner sur sa propre chair l'exemple, tel est le devoir actuel, immédiat, urgent, des écrivains.

» C'est ce que, de tout temps, ont fait les génies.

» Pénétrer la lumière de la civilisation ; vous demandez à quoi les poètes sont utiles : à cela, tout simplement. »

33
Hugo dessinateur

Victor Hugo a toujours pensé la création par les mots et les images. L'écriture et le dessin sont chez lui inséparables, parce que complémentaires. Il suffit de regarder ses cahiers lorsqu'il était pensionnaire à Paris, dans l'établissement Cordier. Dans les marges de ses leçons, il s'amuse à recopier l'alphabet en imaginant des formes audacieuses. Il met aussi en scène des épisodes de l'Histoire : « la mort de Manlius » ou « la ruse des Carthaginois ». Mais ce n'est que bien plus tard, au début des années 1830, que le dessin l'occupera presque quotidiennement, lorsqu'il commence à parcourir l'Europe en compagnie de Juliette Drouet.

Les deux amants voyagent beaucoup

ensemble : en Bretagne (région d'où est originaire Juliette), mais aussi en Alsace, en Bourgogne, et le long du Rhin. Hugo a toujours sur lui un carnet ou un vieux papier. Il griffonne tout ce qu'il voit : trois arbres près d'un lac, un vieux pont dans le village de Lucerne, ou la Tour aux rats, sublime dessin réalisé près de Bingen, en Allemagne, où l'on aperçoit au second plan les contours d'une masure médiévale perchée sur une colline.

Peu à peu, l'écrivain prend conscience de son talent, même s'il joue encore au débutant devant ses amis. Une comédienne du Théâtre-Français, Mme Judith, rapporte dans ses *Mémoires* ce mot de Victor Hugo prononcé un soir, lors d'un dîner chez Alexandre Dumas : « J'aurais voulu être, j'aurais *dû* être un second Rembrandt ! » Le modèle n'est pas choisi au hasard. Hugo a le goût du clair-obscur : le choc de l'ombre et de la lumière ne cessera de hanter son œuvre picturale et poétique.

La poétesse et essayiste Annie Le Brun a brillamment étudié la fascination d'Hugo pour le noir, une couleur qui, selon elle, se décline dans son œuvre en « arcs-en-ciel ». Influencé par les mêmes chemins ténébreux que ses prédécesseurs – les romanciers Mary Shelley et Matthew Gregory Lewis –, Hugo se passionne pour le « noir » des îles dans *Bug-Jargal*, pour le « noir » gothique dans *Notre-Dame de Paris*, ou pour celui des bas-fonds, dans *Les Misérables*. Lui qui se disait « grand regardeur de toutes choses » n'a jamais décroché son œil de l'obscurité profonde, charmé par ses multiples potentialités.

Bon élève, il apprend le dessin auprès de ses amis peintres – Louis Boulanger, Paul Huet, Célestin Nanteuil, ou encore Eugène Delacroix. Mais très vite, il abandonne le simple crayon ou la plume d'acier pour expérimenter toutes sortes de techniques bien à lui. Les empreintes digitales, les allumettes ou les végétaux peuvent avoir une utilité artistique. Le café noir ou la cendre de cigare remplacent parfois l'encre. Le trait se fait plus audacieux et attache moins d'importance au détail.

Vacillants, instables, les dessins et peintures de l'écrivain s'éloignent lentement du réalisme pur pour devenir « un peu sauvage[s] ». Ses croquis de paysages marins effectués durant son exil sur les îles normandes sont, à ce titre, fascinants. Plusieurs d'entre eux ont été réalisés pour illustrer son roman *Les Travailleurs de la mer* paru en 1866. On y retrouve la « magnifique imagination » dont parlait son ami Baudelaire, celle « qui coule [...] comme le mystère dans le ciel ». Les perspectives sont inversées, les éléments semblent en mouvement : nous sommes comme plongés dans les ténèbres de son esprit.

Victor Hugo a produit plusieurs centaines d'œuvres picturales. Parmi elles se trouvent de nombreuses caricatures. En quelques traits de fusain, il s'amuse à représenter un chef militaire à la tête noircie, un abbé au sourire coupable, ou un juge à l'esprit étriqué. Le dessin lui permettait ainsi d'exprimer autrement ce que traduisait déjà son écriture. À travers lui, il explorait d'autres possibilités de déchiffrement du monde, et prolongeait son inlassable conquête du réel, l'œil toujours grand ouvert.

34
La défense des Noirs

Parmi les nombreux combats de Victor Hugo, il en est un peu cité : sa lutte menée contre l'esclavage et pour les droits des Noirs.

Il s'empare dès l'âge de seize ans de ce sujet, lorsqu'il écrit la première version de son roman *Bug-Jargal*. Un livre méconnu, et pourtant essentiel. L'action se déroule en 1791, à Saint-Domingue. Le narrateur, d'Auverney, va se lier d'amitié avec l'un des esclaves de son oncle. Il s'agit de Pierrot, bientôt surnommé Bug-Jargal dès lors qu'il sera à la tête de l'insurrection des Noirs contre les riches colons. Une guerre meurtrière s'engage. Elle mènera, au début du XIXe siècle, à l'indépendance de l'île d'Haïti.

Victor Hugo prolonge la réflexion de

Montesquieu et Condorcet qui avaient eux-mêmes, quelques années plus tôt, dénoncé l'absurdité de l'esclavage. Voici la lettre adressée par l'écrivain aux Haïtiens le 31 mars 1860, publiée dans le journal *Le Progrès* :

« Il n'y a sur la terre ni blancs ni noirs, il y a des esprits, vous en êtes un. Devant Dieu, toutes les âmes sont blanches. J'aime votre pays, votre race, votre liberté, votre révolution, votre république. Votre île magnifique et douce plaît à cette heure aux âmes libres ; elle vient de donner un grand exemple ; elle a brisé le despotisme. Elle nous aidera à briser l'esclavage. »

À cette époque, la question de l'abolition se pose surtout aux États-Unis. Depuis le début des années 1820, le pays est coupé en deux par une décision gouvernementale : au Sud, l'esclavage prospère, tandis qu'au Nord, il disparaît peu à peu, même si les Noirs n'accèdent pas au statut d'hommes libres. Le nombre de « fugitifs », quittant le Sud pour le Nord, explose, et le mouvement abolitionniste prend de l'ampleur. L'une de ses figures les plus engagées va faire parler d'elle à l'automne 1859. L'« affaire John Brown » défraye la chronique en Amérique, et soulève les passions outre-Atlantique.

Victor Hugo l'apprend en lisant la presse. Il est immédiatement touché par l'histoire de cet homme atypique et intransigeant, un Blanc qui risque sa vie pour délivrer les Noirs de la servitude. Mais tout se gâte le jour où Brown prend possession d'un dépôt d'armes à Harper's Ferry, en Virginie, dans l'espoir de s'en servir pour libérer les esclaves de la région. Lui et sa bande tombent sous les balles des troupes fédérales. Grièvement blessé, emprisonné, il est jugé lors d'un simulacre de procès et condamné à mort. Le 2 décembre 1859, Hugo écrit au gouverneur de Virginie pour demander la grâce du prisonnier. Le texte s'intitule « Aux États-Unis d'Amérique » :

« Lorsqu'on réfléchit à ce que Brown, ce libérateur, ce combattant du Christ, a tenté, et quand on pense qu'il va mourir [...] égorgé par la République américaine, l'attentat prend les proportions de la nation qui le commet. [...] moi, qui ne suis qu'un atome, mais qui, comme tous les hommes, ai en moi toute la conscience humaine, je m'agenouille avec larmes devant le grand drapeau étoilé du nouveau monde, et je supplie à mains jointes, avec un respect profond et filial, cette illustre République américaine d'aviser au salut de la loi morale universelle, de sauver John Brown. […] Oui, que l'Amérique le sache et y songe, il y a quelque chose de plus effrayant que Caïn tuant Abel, c'est Washington tuant Spartacus. »

L'évocation du héros de l'indépendance américaine et du chef de la plus grande révolte d'esclaves de l'Antiquité ne suffira pas à obtenir la grâce de Brown. Il est exécuté le jour même où Hugo envoie ce texte.

Aucun doute que l'ombre de ce martyr plane, comme tant d'autres, sur l'œuvre du romancier. « Il faut bien que quelqu'un soit pour les vaincus », écrit Hugo dans *Les Misérables.* Il sera toujours du côté des opprimés, de ces hommes « augustes […] qui […] luttent pour la grande œuvre, avec la logique inflexible de l'idéal. »

Le 9 avril 1865, le XIIIe amendement abolit l'esclavage sur le territoire américain. Quant à la peine de mort, c'est un autre combat, loin d'être gagné, qui hantera Hugo jusqu'à la fin de sa vie.

35
Olympio

Victor Hugo s'est façonné un double devenu célèbre, une voix par laquelle il pouvait exprimer toute sa vision romantique du monde. Ce double s'appelle Olympio…

« … il vient une certaine heure dans la vie où, l'horizon s'agrandissant sans cesse, un homme se sent trop petit pour continuer de parler en son nom. Il crée alors, poète, philosophe ou penseur, une figure dans laquelle il se personnifie et s'incarne. C'est encore l'homme, mais ce n'est plus le moi. »

Voilà pour le choix du masque, présenté dans le recueil *Les Voix intérieures*. Il l'enfile trois ans plus tard dans *Les Rayons et les ombres*, au début du poème désormais fameux : « La Tristesse d'Olympio ». Cette longue plainte en vers fut écrite en 1837, tandis que Victor Hugo venait de parcourir, seul, la vallée de la Bièvre. C'est un lieu chargé de souvenirs : Juliette Drouet et lui avaient l'habitude de s'y retrouver au cours des étés 1834 et 1835. À cette époque, les deux jeunes amants se connaissent depuis un an à peine, et aiment partir loin de Paris. Ils séjournent dans la maison des Metz, louée pour l'occasion par l'écrivain pour abriter leurs amours, et se promènent dans les bois alentour. Moments de pure joie.

Mais lorsque Hugo y retourne seul, ce jour d'octobre 1837, il est submergé par la nostalgie. Le poème qu'il écrit alors est celui des jours enfuis et des bonheurs fugitifs. Le temps a passé, sa vie a changé. Son frère Eugène (interné depuis plusieurs années à Charenton) est mort ; sa fille Adèle est tombée gravement malade ; il a échoué plusieurs fois à l'Académie française ; et, détail qui mérite d'être cité, il souffre des yeux, sa vue diminue et l'oblige à porter des gros « verres bleus » au quotidien. À la fatigue de l'esprit s'ajoute donc la faiblesse du corps et la douleur d'un cœur qui constate, impuissant, le passage du temps :

Il voulut tout revoir, l'étang près de la source,
La masure où l'aumône avait vidé leur bourse.
Le vieux frêne plié,
Les retraites d'amour au fond des bois perdues,
L'arbre où dans les baisers leurs âmes confondues
Avaient tout oublié.
Il chercha le jardin, la maison isolée,
La grille d'où l'œil plonge en une oblique allée.
Les vergers en talus.
Pâle, il marchait. – Au bruit de son pas grave et sombre
Il voyait à chaque arbre, hélas ! se dresser l'ombre
Des jours qui ne sont plus.

Tout se passe comme si la nature avait oublié ce que lui, poète, avait pourtant vécu avec passion. A-t-il vraiment aimé ? N'était-ce qu'un rêve ? « N'existons-nous plus ? Avons-nous eu notre heure ? / Rien ne la rendra-t-il à nos cris superflus ? » Nous sommes ici en plein romantisme. Et le poète éploré s'inscrit dans la droite lignée du « Lac » de Lamartine qui avait déjà dit l'inconsistance de la vie face à la fuite du temps. Olympio, dans son errance, fait de même. Heureusement, le sursaut poétique le ramène à la vie : sans qu'il puisse l'expliquer, le souvenir est là, intact, précieux, sauvé de l'ombre. C'est en lui qu'il peut ressaisir le passé :

Comme quelqu'un qui cherche en tenant une lampe,
Loin des objets réels, loin du monde rieur,
Elle arrive à pas lents par une obscure rampe
Jusqu'au fond désolé du gouffre intérieur ;

Et là, dans cette nuit qu'aucun rayon n'étoile,
L'âme, en un repli sombre où tout semble finir,
Sent quelque chose encor palpiter sous un voile… –
C'est toi qui dors dans l'ombre, ô sacré souvenir !

36

Les tables tournantes

Victor Hugo fut l'un des hommes les plus respectés de son temps : poète adulé, romancier à succès, politicien engagé, académicien et pair de France. Comment, alors, imaginer que cet écrivain croyait, très sérieusement, aux fantômes ? Ce n'était pas une lubie, ni une extravagance de l'âge. Hugo a passé près de deux ans de sa vie à parler aux morts et à retranscrire scrupuleusement, avec l'aide de son fils Charles, toutes ses conversations avec l'au-delà. Mais il a tout fait pour que ses « cahiers » restent secrets. Réputation oblige. Leur publication devait être posthume, car elle aurait ruiné sa carrière politique et littéraire.

Aujourd'hui, nous pouvons les lire. Les

deux seuls cahiers parvenus jusqu'à nous sont réunis dans un ouvrage intitulé *Le Livre des tables*. On y découvre un Victor Hugo singulier, séduit par l'idée de la survie et de la parole des âmes, s'adonnant régulièrement, entre l'automne 1853 et la fin de l'année 1855, à des séances de spiritisme.

Depuis près d'un an, il habite sur l'île de Jersey, dans une étrange maison en front de mer, isolée de tout. Pas une bibliothèque, ni un théâtre ou un musée pour le divertir. Il s'ennuie, et ne s'est toujours pas remis de la perte de sa fille Léopoldine.

Perché sur ce « petit coin de terre libre » au large de la Normandie, Victor Hugo écrit beaucoup, se promène le long de la mer, et dialogue avec les esprits. C'est son amie Delphine de Girardin qui l'initie aux tables tournantes, une pratique très à la mode outre-Atlantique. Dès son arrivée, la poétesse met tout en place, et la famille Hugo, d'abord sceptique, se prête au jeu. Mais rien ne se passe : la table ne bouge pas. Delphine part en acheter une autre : cette fois-ci, elle est ronde, avec trois pieds. Et on recommence : toujours rien. Le groupe ne se décourage pas et renouvelle l'expérience le 11 septembre 1853 avec d'autres témoins. Ce soir-là sont présents Delphine, Mme Hugo, Victor, leurs fils Charles et François-Victor, la jeune Adèle, le général Le Flô et son épouse, le comte Henri de Tréveneuc et l'ami fidèle, Auguste Vacquerie. L'esprit est appelé, et l'esprit répond.

Il y a un code précis : un coup pour « oui », deux coups pour « non ». Même procédé pour les lettres de l'alphabet : un coup pour A, deux coups pour B, six coups pour F, et ainsi de suite. Quand Delphine de Girardin demande «Y a-t-il quelqu'un ? », à la surprise générale « la table lève un pied et ne le baisse plus ». L'esprit se présente comme étant l'« Âme soror » – que tout le monde identifie comme étant Léopoldine, la fille défunte et chérie.

La retranscription de l'échange présumé qui s'engage entre elle et son père est à peine croyable :

> – Es-tu heureuse ? (demande Hugo).
> – Oui (répond Léopoldine).
> – Où es-tu ?
> – Lumière (répond-elle).

– Que me faut-il pour aller à toi ?
– Aimer.

Plus de doute possible. Son « doux ange » est là, près de lui. La « bouche d'ombre », celle qui renaît dans *Les Contemplations*, existe bien et va faire se rencontrer les beaux esprits. Chateaubriand, Voltaire, Aristote, Napoléon Ier, Mahomet, Luther, André Chénier, Shakespeare : tous les grands hommes de l'Histoire se seraient donné rendez-vous à la table de Victor Hugo – même Jésus-Christ ! Et l'écrivain, dont la présence est remarquée plusieurs soirs de suite, y prend goût. Les tables tournantes semblent le consoler et l'inspirer : les deux tiers des *Contemplations* seront d'ailleurs écrits à cette époque.

Les mois passant, les soirées spirites font perdre la tête à l'un des habitués du groupe, Jules Allix. Hugo décide alors d'espacer les séances, jusqu'à les interrompre définitivement à la fin de l'été 1855. Le clan fait ses bagages quelques semaines plus tard, et déménage à Guernesey. Les tables ne parleront plus jamais.

Aujourd'hui, le doute persiste. La véracité

de ces communications avec l'au-delà est souvent remise en question. Les comptes rendus des séances, eux, sont bien réels. Mais il est possible d'imaginer que Charles, tenant la plume des registres, se soit assez pris au jeu des esprits pour en faire un exercice littéraire à part entière. Quant à Hugo, s'il n'a peut-être pas « parlé » au fantôme de sa fille, il ne fait aucun doute qu'il vivait quotidiennement avec son ombre.

37

« La Légende des siècles »

Quelque temps après *Les Contemplations*, recueil du déchirement intime et de la renaissance, Victor Hugo réfléchit à un livre démesuré avec lequel il pourrait, comme il l'exprime à un ami dans une lettre datant de 1856, « emporter la foule sur de certains sommets ». Il a une idée fixe et ambitieuse : écrire, en vers, l'histoire des hommes, leurs péripéties, leurs drames, leurs querelles, leurs réussites. En un mot : trouver la vérité du « grand fil mystérieux du labyrinthe humain ». Ce qu'il a en tête, c'est *La Légende des siècles*.

La rédaction s'étale sur les années d'exil. Hugo dédie son ouvrage « À la France », lui adressant ce recueil comme on envoie « une feuille morte ».

La première partie paraît à Bruxelles et à Paris en 1859. C'est une année importante pour Hugo. À ce moment en effet, il refuse de revenir chez lui alors même que Napoléon III autorise les bannis politiques à rentrer en France. Huit ans que le poète est loin de sa patrie, mais il tient bon : « Personne n'attendra de moi que j'accorde, en ce qui me concerne, un moment d'attention à la chose amnistie. Dans la situation où est la France, protestation absolue, inflexible, éternelle, voilà pour moi où est le devoir. »

La déclaration est grave, à l'image de cette section d'ouverture de la *Légende des siècles,* qui a pour titre « Les petites épopées ». Hugo y prend position, encore une fois, contre le Second Empire et pour la liberté démocratique. Que le lecteur soit averti, « les tableaux riants sont rares dans ce livre, cela tient à ce qu'ils ne sont pas fréquents dans l'Histoire », écrit-il dans sa préface. Le poète décide de peindre l'Homme, « cette grande figure une et multiple, lugubre et rayonnante, fatale et sacrée ».

Au commencement étaient Adam et Eve, puis viennent Jésus et la décadence de Rome.

Après le « cycle chrétien », Hugo convoque Charlemagne, explore la Turquie, nous plonge dans la Renaissance italienne, l'Inquisition, le XVIIe siècle, pour arriver à ce mot : « Maintenant ». C'est l'image d'une humanité guerrière et sanglante qui apparaît alors – une humanité encore teintée d'héroïsme.

Mais le temps présent, terni par l'injustice et la misère, l'efface. À travers l'émergence de la question sociale – toujours elle – le recueil s'engage sur une pente plus politique, avec des poèmes comme « Les Pauvres Gens ». Face à la décadence de l'époque, que pouvons-nous faire ? Comment traverser « la tempête » ? « Ce monde est mort. Mais quoi ! », lance le poète, « l'homme est-il mort aussi ? »

> Est-ce que l'homme, ainsi qu'un feuillage jauni,
> S'en est allé dans l'ombre ? est-ce que c'est fini ?
> Seul le flux et reflux va, vient, passe et repasse.
> Et l'œil, pour retrouver l'homme absent de l'espace,
> Regarde en vain là-bas. Rien.
> Regardez là-haut.

Et l'homme réapparaît. Malgré les tyrans, les rois, les prêtres ; malgré les horreurs de la guerre, les chutes, les perditions, « l'audace humaine » ne faiblit pas. Il y a donc un peu d'espoir dans ce sombre recueil poétique et philosophique, qui dessine la difficile trajectoire du progrès. Sainte-Beuve, qui n'est plus « l'ami » depuis longtemps, prendra pour cible cet ouvrage dont il regrettait la prétention : « Quel abus de puissance ! Quel parti pris d'exagération et d'outrance sur tous les points ! [...] mais de délicatesse morale, de sensibilité vraie et de tact et de goût, il n'y en a plus trace. »

La suite de cette *Légende des siècles* est publiée en 1877 puis en 1883, deux ans avant la mort de Victor Hugo, qui n'a jamais perdu l'espoir de voir « l'éclosion lente et suprême de la liberté ».

38

La force qui va

« Ma pensée est : “Toujours en avant”. Si Dieu avait voulu que l’homme reculât, il lui aurait mis un œil derrière la tête. » Dans *Quatrevingt-treize*, Victor Hugo se révèle pragmatique. C’est aussi un vrai optimiste. Il n’a jamais cédé au désespoir, alors même qu’il a pu le rencontrer, et s’y perdre à certains moments. Rien ne lui a fait baisser le front, aucune épreuve, aucun revers.

Sa trajectoire est un perpétuel élan. Sur le plan politique, littéraire et sentimental, le chemin d’Hugo est dense et sinueux, mais une force mystérieuse le maintient en vie, lui permet d’avancer. Cette force ressemble à celle d’Hernani, le noble amoureux de Dona Sol, le fugitif, l’éternel banni qui demande à la femme qu'il aime de l'oublier, de vivre sans lui :

Dona Sol, prends le duc, prends l'enfer, prends le roi !
C'est bien. Tout ce qui n'est pas moi vaut mieux que moi !
Je n'ai plus un ami qui de moi se souvienne,
Tout me quitte, il est temps qu'à la fin ton tour vienne,
Car je dois être seul. Fuis ma contagion.
Ne te fais pas d'aimer une religion !
Oh ! par pitié pour toi, fuis ! Tu me crois peut-être
Un homme comme sont tous les autres, un être
Intelligent, qui court droit au but qu'il rêva.
Détrompe-toi ! je suis une force qui va !
Agent aveugle et sourd de mystères funèbres !
Une âme de malheur faite avec des ténèbres !
Où vais-je ? je ne sais. Mais je me sens poussé
D'un souffle impétueux, d'un destin insensé.
Je descends, je descends, et jamais ne m'arrête.
Si parfois, haletant, j'ose tourner la tête,
Une voix me dit : Marche ! et l'abîme est profond,
Et de flamme et de sang je le vois rouge au fond !

Seul Hernani doit continuer à avancer. Seul, il doit combattre la fatalité, appelée aussi « anankè » et qui apparaît dans l'avertissement des *Travailleurs de la mer* sous trois formes : « la religion, la société, [et] la nature ». L'homme, selon Hugo, doit lutter sans cesse contre ce triptyque. Là est son destin, sa possible perte ou sa gloire.

L'autre grand personnage dans l'œuvre d'Hugo confronté à ce questionnement est Jean Valjean. Dans *Les Misérables*, un célèbre chapitre lui est consacré : « Tempête sous un crâne ». Nous découvrons son âme, nous partageons son dilemme. Pour échapper à la police, Jean Valjean a changé d'identité. Il est devenu M. Madeleine, maire de Montreuil-sur-Mer, un homme respecté de tous. Mais un jour, il apprend qu'un malheureux, nommé Champmathieu, qu'on a pris pour lui, est jugé à sa place et risque le bagne. Submergé par le doute, Jean Valjean est contraint de décider quel homme il veut être :

« Il se déclara que sa vie avait un but en effet. Mais quel but ? Cacher son nom ? tromper la police ? Était-ce pour une chose si petite qu'il avait fait tout ce qu'il avait fait ? Est-ce qu'il n'avait pas un autre but, qui était le grand, qui était le vrai ? Sauver, non sa personne, mais son âme. Redevenir honnête et bon. Être un juste ! Est-ce que ce n'était pas là surtout, là uniquement, ce qu'il avait toujours voulu [...] ? »

Au terme d'une nuit agitée, Jean Valjean prend finalement la décision d'aller se dénoncer. Il fera irruption dans la salle d'audience du procès pour faire toute la lumière sur sa véritable identité.

Hugo n'en a jamais douté : les hommes peuvent devenir meilleurs, lui-même savait que le futur n'était rien d'autre qu'une promesse. Il avait prévenu son éditeur, Hetzel : « J'ai une foi féroce en l'avenir, et je sais incroyablement qui je suis. »

39

Hugo, hélas !

Il est amusant de regarder les caricatures de Victor Hugo publiées dans la presse de l'époque. Tantôt il est représenté une plume géante à la main ; tantôt déguisé en forçat, brisant ses chaînes avec un marteau. Et quand il ne marque pas au fer rouge le front de Napoléon III, il évolue au-dessus des nuages, posant ses mains sur le monde, et projetant de la lumière sur les hommes.

Ces images donnent bien la mesure de la place que l'auteur occupait dans l'opinion publique, et de l'image qu'il renvoyait à ses lecteurs. De son vivant, Hugo est considéré comme un guide, un génie. Des milliers de personnes assistent à ses funérailles à Paris en 1885, et suivent le cortège jusqu'au Panthéon.

C'est dire à quel point il faisait partie de la vie de chacun.

Adoré, Hugo est aussi beaucoup jalousé, notamment par d'autres écrivains. Les bienveillants se permettent de le remettre poliment à sa place. Quand Hugo prône la liberté dans l'art, Chateaubriand lui rappelle qu'il y a, tout de même, des règles à respecter. Lamartine quant à lui, après lecture du roman *Han d'Islande*, lui conseille « d'adoucir sa palette ». Rien de grave, encore.

Mais prenons Goethe : « Je ne lui fais pas un crime de vouloir s'enrichir, non plus que de s'efforcer de récolter les lauriers du jour : mais s'il aspire à une gloire durable, il doit commencer par écrire moins et travailler davantage. » Prenons, plus tard, Paul Valéry et ses *Mauvaises Pensées* : « Hugo est un milliardaire. Ce n'est pas un prince. » Prenons, enfin, le téméraire Barbey d'Aurevilly, l'auteur d'*Une vieille maîtresse* et des *Diaboliques,* qui s'est amusé à écrire un essai à charge contre lui :

« La faculté première de Hugo », écrit-il, « c'est l'infatigabilité. Il jette des vers comme une machine qui serait montée pour cela. Il y a là un mystère de mécanisme et non plus une question d'intelligence. [...] "Je suis celui que rien n'arrête", a dit Hugo, et c'est vrai ! »

Hugo est bon joueur. Ces attaques, plus ou moins virulentes, n'ont jamais entamé sa bonne humeur. Lui-même n'appréciait guère celui qu'il surnommait « Barbey d'or vieilli », et avec beaucoup d'ironie se moque de l'avis d'un camarade poète :

« On me raconte le mot de Leconte de Lisle sur moi. Il paraît qu'il a dit "Victor est bête comme l'Himalaya". Je ne trouve pas le mot désagréable et je pardonne à Leconte de Lisle qui me fait l'effet d'être bête tout court. Il est né à l'île Bourbon, ce qui fait qu'il ajoute "Delisle" à son nom "Leconte"... "Et de M. de Lisle il prit le nom pompeux"... Prévu par Molière. »

Qu'aurait-il pensé de l'avis d'André Gide, son célèbre détracteur qui a dû longuement s'expliquer sur son fameux « Hugo, hélas ! » ? En réponse à la question « Qui est le plus grand poète français », il avait lancé cette boutade.

Au fond, la critique ne déplaisait pas à Hugo. La preuve : un matin de juin 1855, à Guernesey, il trouva une inscription à la craie sur sa porte d'entrée, qui indiquait en gros caractères : « HUGO IS A BAD MAN ». Il a demandé surtout qu'« on ne l'effaçât pas ».

40

Le jour contre la nuit

C'est une page essentielle des *Misérables* : Cosette marche seule dans la nuit profonde, son seau à la main, en pleine forêt, effrayée par le silence et la solitude. Les Thénardier l'ont envoyée chercher de l'eau. La fillette a tellement peur qu'elle compte dans sa tête pour se donner du courage. À ce moment, Victor Hugo écrit : « L'obscurité est vertigineuse. Il faut à l'homme de la clarté. » Cette "clarté" surgit en la personne de Jean Valjean « qui était arrivé derrière elle et qu'elle n'avait pas entendu venir. Cet homme, sans dire un mot, avait empoigné l'anse du seau qu'elle portait. Il y a des instincts pour toutes les rencontres de la vie. L'enfant n'eut pas peur. » Cosette ne sera plus jamais seule : l'ancien forçat vient de la sauver.

Jean Valjean est la lumière de Cosette, comme Mgr Myriel fut celle de Jean Valjean. Même plongés dans les ténèbres, les personnages parviennent toujours à trouver une lueur dans l'« horizon noir ». Jamais le romancier ne les abandonne.

Là se situe toute la beauté de l'œuvre hugolienne, dans cet instant crucial où l'homme sort du découragement parce qu'il se met à croire de nouveau.

L'écrivain est le premier modèle de ses héros. Il n'a cessé d'osciller entre la nuit et le jour, irrémédiablement attiré par ce qu'il ne voit pas tout en étant ramené, dans un incroyable élan vital, à la force du réel. La persévérance l'emporte toujours, tout comme la persistance de ce « mystérieux soleil du monde intérieur » – dont il parle dans son recueil *Toute la lyre* – qui continue d'émettre sa lumière. La fin des *Contemplations* est la splendide concrétisation de ce mécanisme qui promet une renaissance.

Deux mots n'ont jamais quitté l'imaginaire d'Hugo : les rayons et les ombres. Il en a fait le titre d'un recueil poétique, paru en 1840, et dans lequel il arbore un « front éclairé », s'adressant ainsi à ses lecteurs :

Ô générations ! courage !
Vous qui venez comme à regret,
Avec le bruit que fait l'orage
Dans les arbres de la forêt !

Douteurs errant sans but ni trêve,
Qui croyez, étendant la main,
Voir les formes de votre rêve
Dans les ténèbres du chemin !

.. ..

Naufragés de tous les systèmes,
Qui de ce flot triste et vainqueur
Sortez tremblants et de vous-mêmes
N'avez sauvé que votre cœur !

.. ..

Lutteurs qui pour laver vos membres
Avant le jour êtes debout !
Rêveurs qui rêvez dans vos chambres,
L'œil perdu dans l'ombre de tout !

Vous, hommes de persévérance,
Qui voulez toujours le bonheur,
Et tenez encor l'espérance,
Ce pan du manteau du Seigneur !

.. ..

Courage ! – Dans l'ombre et l'écume
Le but apparaîtra bientôt !

Le genre humain dans une brume,
C'est l'énigme et non pas le mot !

Assez de nuit et de tempête
A passé sur vos fronts penchés.
Levez les yeux ! Levez la tête !
La lumière est là-haut ! marchez !

Bien sûr, l'avenir pour Hugo se conçoit grâce et à travers Dieu. Mais il y a surtout une foi qui se passe de divinité, une certitude très personnelle livrée au début des *Chants du crépuscule*, et qui résonne étrangement avec notre temps :

« Le dernier mot que doit ajouter ici l'auteur, c'est que dans cette époque livrée à l'attente et à la transition, dans cette époque où la discussion est si acharnée, si tranchée, si absolument arrivée à l'extrême, qu'il n'y a guère aujourd'hui d'écoutés, de compris et d'applaudis que deux mots, le Oui et le Non, il n'est pourtant, lui, ni de ceux qui nient, ni de ceux qui affirment. Il est de ceux qui espèrent. »

41
La musique

Victor Hugo aimait follement le compositeur italien Palestrina (« père de l'Harmonie ») et hissait Beethoven (« ce sourd [qui] entendait l'infini ») au rang des génies. Cela ne fait pas de lui un mélomane. L'écrivain qui, tout au plus, avait tenté un jour de taper maladroitement d'un doigt les touches d'un clavier sous le patronage de Léopoldine, n'a jamais manifesté un engouement pour la musique. À cet « art inachevé », il préférait la pureté de la poésie, redoutant « la bête de bois » qu'était le piano, et osant même accoler à la beauté du *Requiem* de Mozart l'adjectif « ridée ».

Loin d'un désintérêt – voire d'un rejet – longtemps supposé, Hugo écoutait la musique d'une oreille lointaine, tout en appréciant les talents de sa fille aînée et les improvisations de sa benjamine, Adèle. Mais, fidèle à son cœur et à son œil, il demeurait naturellement porté vers d'autres chemins : ceux des mots et de l'image.

Sous sa plume, pourtant, sont transcrites plusieurs références au monde sonore – dans *Les Feuilles d'automne*, *Les Chants du crépuscule*, *Les Voix intérieures* ou encore *Les Rayons et les ombres* –, « tintements épars » qui, de même que les cloches dans *Notre-Dame de Paris*, font « s'élever [...] comme une fumée d'harmonie » sur l'ensemble de l'œuvre littéraire. Dans le chapitre « Paris à vol d'oiseau », il est fascinant d'observer comment Victor Hugo a tenté de transcrire la sonorité :

« D'abord la vibration de chaque cloche monte droite, pure, et pour ainsi dire isolée des autres, dans le ciel splendide du matin. Puis, peu à peu, en grossissant, elles se fondent, elles se mêlent, elles s'effacent l'une dans l'autre, elles s'amalgament dans un magnifique concert. Ce n'est plus qu'une masse de vibrations sonores qui se dégage sans cesse des innombrables clochers, qui flotte, ondule, bondit, tourbillonne sur la ville, et prolonge bien au-delà de l'horizon le cercle assourdissant de ses oscillations. Cependant, cette mer d'harmonie n'est point un chaos. Si grosse et profonde qu'elle soit, elle n'a point perdu sa transparence ; [...] vous pouvez y suivre le dialogue, tour à tour grave et criard, de la crécelle et du bourdon ; vous y voyez sauter les octaves d'un clocher à l'autre ; [...] vous voyez courir, tout au travers, des notes claires et rapides qui font trois zigzags lumineux et s'évanouissent comme des éclairs. [...] c'est là un opéra qui vaut la peine d'être écouté. [...] Prêtez donc l'oreille à ce *tutti* de clochers [...] et dites si vous connaissez au monde quelque chose de plus riche, de plus joyeux, de plus doré, de plus éblouissant que ce tumulte de cloches et de sonneries ; que cette fournaise de musique ; [...] que cette cité qui n'est plus qu'un orchestre ; que cette symphonie qui fait le bruit d'une tempête. »

Ces lignes ont profondément bouleversé le compositeur Hector Berlioz qui, en décembre 1831, écrit à Hugo une lettre éclatante : « Ah ! Vous êtes un génie, un être puissant, un colosse… à la fois tendre, mélodieux, volcanique, caressant et méprisant… […] Je le dirai aussi bien à vous, en face, malgré vos yeux d'aigle ; pendant les derniers temps de mon séjour à Paris, j'aurais livré mon âme au diable pour un an si j'avais à ce prix pu vous voir et causer à découvert avec vous pendant une heure. » On ne sait si Hugo a bien reçu le mot. Les deux hommes sont en tout cas devenus amis.

Absolument « romantique », adepte de Shakespeare, le compositeur de *La Symphonie fantastique* a déjà lu avec ardeur *Les Orientales* ainsi que *Le Dernier Jour d'un condamné* – récit qui aurait inspiré, selon le biographe Arnaud Laster, le quatrième mouvement de sa pièce musicale, « La marche au supplice ». En 1833, tandis que *Lucrèce Borgia* se prépare, Berlioz propose de composer la musique du texte, mais le directeur du Théâtre de la Porte Saint-Martin lui préfère Alexandre Piccini, petit-fils d'une sommité de l'opéra italien. Quelques années plus tard, il est choisi pour diriger les répétitions de *La Esmeralda*, le livret adapté de *Notre-Dame de Paris* par Hugo lui-même, et mis en musique par Louise Bertin. L'opéra est un échec, mais Berlioz peut compter sur le soutien de l'écrivain : « Laissez crier ceux qui sont faits pour crier. Courage, Maître. [...] Pour les grands esprits, il y a de grands obstacles. » Les années 1840, puis l'évolution politique de la France, vont séparer les deux hommes – Berlioz ne cachant pas son soutien au Second Empire –, mais ils resteront mus, jusqu'à la fin de leur vie, par le même désir de liberté en art.

Y a-t-il jamais eu de l'amour entre Victor Hugo et la musique ? Peut-être. Il est en revanche certain que les musiciens, eux, n'ont cessé d'aimer le poète. Il a été régulièrement sollicité par de nombreux artistes, impatients de mettre des notes sur ses mots. Le jeune Franz Liszt ou le très littéraire Charles Gounod se tiennent en tête de ces admirateurs – Gounod, qui rêvait, avec autant d'extase que de crainte, de se mêler aux « ouragans » hugoliens.

42

Théophile Gautier

Gautier est un exalté. Il est né pour aimer la beauté et ne vit que pour l'art. « Je renoncerais très joyeusement à mes droits de Français et de citoyen pour voir un tableau authentique de Raphaël », écrit-il avec fougue dans la préface de son roman *Mademoiselle de Maupin*, publié en 1835. La peinture et l'écriture seront ses deux uniques passions, celles qui l'amèneront à jouir de l'existence, sans aucune retenue.

Arrivé à Paris dès sa petite enfance, Gautier travaille son latin, se passionne pour Horace et Virgile. Au Collège royal Charlemagne, il rencontre Gérard Labrunie, de trois ans son aîné, qui devient son confident. Ce dernier a pris pour nom de plume « Nerval », il se promène quotidiennement les poches chargées de livres, et écrit souvent en marchant. Il a déjà publié un recueil de vers et connaît aussi Victor Hugo, que tout écrivain en herbe rêve de rencontrer.

Gautier, le premier. Le jeune homme, élève-peintre dans l'atelier de Louis-Édouard Rioult, rue Saint-Antoine, est imprégné des grands esprits littéraires. Entre deux coups de pinceau, il lit ceux que son idole admire : Walter Scott, Shakespeare, Lord Byron. La tête brûlante et les mains agitées, il croit en la préface de *Cromwell* et n'attend qu'une chose : briser le règne des Classiques ou, comme il le dit parfaitement, « combattre l'hydre du perruquinisme ». Nerval lui en donne l'occasion puisqu'il décide de l'introduire personnellement auprès du Maître.

La rencontre a lieu le 27 juin 1829, au domicile du poète, rue Jean-Goujon. Gautier se souvient de la peur grandissante qui l'envahissait tandis qu'il montait les marches qui le séparaient d'Hugo, en compagnie de Nerval et d'un autre ami, le poète Petrus Borel : « L'haleine nous manquait ; nous entendions notre cœur battre dans notre gorge et des moiteurs glacées nous baignaient les tempes. Arrivés devant la porte, au moment de tirer le cordon de la sonnette, pris d'une terreur folle, nous tournâmes les talons et nous descendîmes les degrés quatre à quatre [...]. » Bientôt, le sourire d'Hugo apparaît dans l'entrebâillement de la porte. Le jeune disciple, dans son *Histoire du romantisme*, brosse un portrait enchanté de l'écrivain à vingt-huit ans, préparant sa « bataille » :

« Ce qui frappait d'abord dans Victor Hugo, c'était le front vraiment monumental qui couronnait comme un fronton de marbre blanc son visage d'une placidité sérieuse. [...] il était d'une beauté et d'une ampleur surhumaines [...] Le signe de la puissance y était. Des cheveux châtain clair l'encadraient et retombaient un peu longs. Du reste, ni barbe, ni moustaches, ni favoris, ni royale, une face soigneusement rasée d'une pâleur particulière, trouée et illuminée de deux yeux fauves pareils à des prunelles d'aigle, et une bouche à lèvres sinueuses, à coins surbaissés, d'un dessin ferme et volontaire qui, en s'entrouvrant pour sourire, découvrait des dents d'une blancheur étincelante. »

Recruté, parmi une poignée d'autres, pour rejoindre le nouveau bouillonnement romantique, Gautier mesure sa chance de faire partie de « ces jeunes bandes qui combatt[ent] pour l'idéal, la poésie et la liberté de l'art, avec un enthousiasme, une bravoure et un dévouement qu'on ne connaît plus aujourd'hui ». Ce printemps de la pensée s'inaugure au Théâtre-Français, le 25 février 1830, lors de la scandaleuse représentation d'*Hernani*. Témoin enflammé de ces années lumineuses, Gautier décrit mieux que personne ce moment-clef où chacun entrait dans la lutte avec, dans sa poche, une liasse de petits carrés rouges sur lesquels était inscrit *hierro*. Le mot espagnol – signifiant « fer » – ébauchait une devise : il fallait être « franc, brave et fidèle comme l'épée ».

C'est décidé, Gautier prend la plume pour ne plus jamais la lâcher. Emporté par la vague hugolienne, vouant à la poésie une intense passion, il publie son premier recueil le 28 juillet 1830. L'ouvrage, qui émerge en pleine Révolution, passe malheureusement inaperçu. Loin de se décourager, il se rapproche peu à peu de Balzac et de l'éditeur

Émile de Girardin, qui lui ouvrent les portes du journalisme. *La Presse, Le Moniteur universel*, le *Journal officiel* ; de nombreuses revues accueillent ses critiques théâtrales ou picturales. Il occupe même, un temps, le poste de rédacteur en chef de *L'Artiste*.

Près de trois mille articles seront signés de sa main, le journaliste n'ayant pas encore renoncé à la littérature. Proche de Baudelaire à partir des années 1850, Gautier est le dédicataire des *Fleurs du Mal*, désigné comme le « parfait magicien des Lettres françaises ». La magie, justement, le conduit vers la veine fantastique. Son *Roman de la Momie* (1858) fait aujourd'hui partie de ses œuvres les plus notables, tout comme son récit de cape et d'épée, *Le Capitaine Fracasse* (1863).

Tandis que Hugo est à Guernesey, Gautier, chroniqueur infatigable du Paris artistique, écrit un jour d'avril 1855 un feuilleton dramatique dans une revue impériale. Ce basculement dans le camp ennemi ne plut pas à l'exilé qui décida de le punir – « tacitement », selon le biographe Jean-Marc Hovasse – en ne le mentionnant pas dans ses *Contemplations*.

Gautier, lui, s'il continue de faire l'éloge des vers du poète, demeure étrangement silencieux à la publication des *Misérables*, préférant la compagnie d'un Flaubert envieux au travail de son vieux compagnon.

Loin de se montrer rancunier, Hugo autorise malgré tout son éditeur à l'inviter lors du banquet de Bruxelles, organisé pour fêter le succès du roman. Gautier, qui ne fit pas le déplacement, est de nouveau sollicité par l'écrivain proscrit pour rédiger un avant-propos à son ouvrage de gravures. Cette fois-ci, il s'exécute avec rapidité, rendant hommage au Hugo d'avant l'exil, mais omettant de parler de celui qui résiste encore. « Cher Théophile, merci. Vous venez de me donner une joie de jeunesse. Il m'a semblé être au bon jeune temps », lui écrira-t-il en 1862. Dix ans plus tard, le jour de l'enterrement de Gautier, il arborera les mots d'un ami.

43

Eugène Delacroix

« Le Victor Hugo de la peinture » : telle fut la remarque enthousiaste lancée à Delacroix par un certain M. Laurent – bibliothécaire de son état – qui pensait ainsi lui offrir un compliment. La repartie du peintre ne se fit pas attendre : « Monsieur, je suis un pur classique », lui rétorqua-t-il avec solennité, se dédouanant étonnamment de toute appartenance au courant romantique – et de toute filiation à son célèbre gouverneur littéraire. Simple boutade ou réelle coquetterie d'artiste, la déclaration a le mérite de révéler la complexité des liens entre les deux hommes qui avaient la réputation d'appartenir (à raison) à la même famille.

Eugène Delacroix rencontre Victor Hugo

en 1826, au sein d'un des nombreux cénacles qui enflamment depuis peu la capitale. Le peintre a déjà fait une entrée remarquée sur la scène artistique parisienne. Formé dans l'atelier du très reconnu Pierre-Narcisse Guérin, il vénère Rubens, étudie John Constable et compte parmi ses proches amis Théodore Géricault – lequel lui demande d'être modèle pour son *Radeau de la Méduse.* Romantique, il l'est certainement dans son désir d'émancipation des lois académiques et sa recherche de l'inattendu, de l'inexploré. Voilà deux ans que ses *Scènes des massacres de Scio* ont créé le scandale. La critique hurle à l'outrage, lui se félicite du « mouvement énergique » de son tableau. « Je n'aime point la peinture raisonnable », écrit-il à cette époque dans son *Journal*, comme un credo qu'il ne perdra jamais de vue. Hugo formule quasiment la même volonté expliquant un jour à son éditeur Hetzel que sa poésie n'est « pas modérée ». Chez l'un comme chez l'autre, donc, s'ébauche la même ambition grandiose : éveiller les hommes, leur donner à *voir* et à *entendre* la vie, la vraie.

1827 est leur année. Hugo publie *Cromwell*, précédé d'une préface retentissante. Delacroix expose *La Mort de Sardanapale* et son audace déclenche les foudres : le souverain légendaire d'Assyrie, dont le royaume est assiégé, donne l'ordre à ses esclaves de tuer tous ses sujets. Allongé sur un lit « superbe » de soie rouge, il contemple le massacre dans un désordre de chairs et de couleurs intenses. En littérature comme en peinture, la liberté semble avoir trouvé ses défenseurs, Hugo ne manquant pas de reconnaître la splendeur de la toile de son camarade, « magnifique et si gigantesque qu'[elle] échappe aux petites vues », confie-t-il dans une lettre à son ami Victor Pavie.

Poursuivant en apparence le même idéal, ils partagent une passion commune pour Shakespeare et le théâtre. Delacroix dessine d'ailleurs les costumes de la mise en scène d'*Amy Robsart* au théâtre de l'Odéon en 1828, et en informe dans une lettre son « cher ami » et auteur de la pièce, Victor Hugo. Mais c'est surtout l'Orient, lieu de toutes les rêveries artistiques, qui les rapproche. À l'aube du soulèvement de 1830, Hugo publie son recueil poétique *Les Orientales*. Sa préface, énième manifeste pour la liberté en art, met en lumière la fécondité de cette terre lointaine, « source à laquelle [le poète] désirait depuis longtemps se désaltérer ». Trois ans plus tard, Delacroix part pour le Maroc, accompagnant une mission française menée par le comte de Mornay. Bouleversé par la lumière de Meknès, par ce « sublime vivant qui court [...] dans les rues et qui vous assassine de sa réalité », le peintre se rend ensuite en Algérie puis, sur les traces de Byron, dans le sud de l'Espagne. Ce voyage initiatique le conduit à entreprendre un nouveau chapitre artistique. Ses tableaux dits *orientalistes* font place à la sauvagerie des animaux et à une nouvelle sensualité féminine. Douces et nonchalantes, ses *Femmes d'Alger dans leur appartement* enthousiasmeront plus tard Cézanne et Renoir, mais déplaisent à Victor Hugo qui ne semble pas partager ce même rapport avec le réel. Et c'est bien la manière dont ce réel est traduit en art qui semble désormais, fondamentalement, séparer les deux hommes.

« Les grandes et simples vérités n'ont pas besoin, pour s'énoncer et pour frapper les esprits, d'emprunter le style d'Hugo, qui n'a jamais approché de cent lieues de la vérité et de la simplicité. » L'attaque est signée Delacroix, dans son *Journal*, à la date du 5 avril 1849. Trois ans plus tôt, Baudelaire, dans son *Salon 1846*, avait déjà souligné la différence capitale de leur *romantisme* respectif : « M. Victor Hugo [...] est un ouvrier plus adroit qu'inventif », écrivait-il alors, tandis que « Delacroix est quelquefois maladroit, mais essentiellement créateur. » D'un côté la « froideur » d'un excellent technicien du réel, de l'autre l'« insolence » d'un esprit porté vers l'imagination. Et de conclure : « Le parallèle [entre Victor Hugo et Eugène Delacroix] est resté dans le domaine banal des idées convenues, et ces [...] préjugés encombrent encore beaucoup de têtes faibles. »

La sévérité de l'auteur des *Fleurs du Mal* balaie, à notre sens, un peu rapidement l'évidence des liens qui unissent, encore aujourd'hui, les deux artistes. La plus grande œuvre de Delacroix (*La Liberté guidant le peuple*) n'est-elle pas ancrée au cœur de celle de Victor Hugo (*Les Misérables*) ? Il est troublant, en effet, d'observer d'une part le tableau et de lire, d'autre part, le roman, tous deux portés vers la glorification du peuple. Outre la ressemblance manifeste du gamin de Paris brandissant ses pistolets (à droite, sur la toile de Delacroix) avec le Gavroche de Victor Hugo, la description donnée par l'auteur de l'insurrection parisienne de 1832 apparaît comme la traduction littérale de la barricade de 1830, vue par le peintre :

« Rien de plus bizarre et de plus bigarré que cette troupe. L'un avait un habit veste, un sabre de cavalerie et deux pistolets d'arçon, un autre était en manches de chemise avec un chapeau rond et une poire à poudre pendue au côté, un troisième plastronné de neuf feuilles de papier gris et armé d'une alène de sellier. Il y en avait un qui criait [...]. Force fusils portant des numéros de légions, peu de chapeaux, point de cravates, beaucoup de bras nus, quelques piques. Ajoutez à cela tous les âges, tous les visages [...]. Tous se hâtaient. [...] On eût dit des frères ; ils ne savaient pas les noms les uns des autres. Les grands périls ont cela de beau qu'ils mettent en lumière la fraternité des inconnus. »

S'ils n'étaient pas « frères » d'art, Hugo et Delacroix l'étaient peut-être de caractère. « Il faut une grande hardiesse pour oser être soi », avait un jour écrit le peintre, réagissant aux attaques et censures dont il était la constante victime. Un constat que n'aurait jamais osé contredire le romancier.

Bibliographie sélective

Œuvres de Victor Hugo

Romans :

Bug-Jargal.
Han d'Islande.
Le Dernier Jour d'un condamné.
Notre-Dame de Paris.
Claude Gueux.
Les Misérables.
Les Travailleurs de la mer.
L'Homme qui rit.
Quatrevingt-treize.

Théâtre :

Irtamène.
Cromwell.
Hernani.
Marion de Lorme.
Le Roi s'amuse.
Lucrèce Borgia.

Marie Tudor.
Ruy Blas.
Les Burgraves.

Poésies :

Odes et Ballades.
Les Orientales.
Les Feuilles d'automne.
Les Chants du crépuscule.
Les Voix intérieures.
Les Rayons et les ombres.
Les Châtiments.
Les Contemplations.
L'Année terrible.
L'Art d'être grand-père.
La Légende des siècles.
La Pitié suprême.
Les Quatre Vents de l'esprit.
La Fin de Satan.
Toute la lyre (posthume).

Essais, pamphlets :

Le Rhin.
Napoléon le Petit.
William Shakespeare.
Littérature et philosophie mêlées.
Actes et Paroles.
Histoire d'un crime.
L'Archipel de la Manche.
Promontorium Somnii.
Le Livre des tables (posthume).

Œuvres intimes :

Choses vues. Souvenirs, journaux, cahiers, 1830-1885, Gallimard, « Quarto », 2002.

Post-scriptum de ma vie, Ides et Calendes, Neuchatel, Collection du Sablier, 1961.

Victor Hugo raconté par un témoin de sa vie. Œuvres de la première jeunesse.

Victor Hugo. *Lettres à la fiancée.*

À propos de Victor Hugo

Biographies de Victor Hugo :

Pierre Brunel, *Monsieur Victor Hugo*, Vuibert, 1998.

Raymond Escholier, V*ictor Hugo raconté par ceux qui l'ont vu. Souvenirs, lettres, documents*, Stock, 1931.

Sophie Grossiord, *Victor Hugo : et s'il n'en reste qu'un...*, Gallimard/Paris Musées, 1998.

Jean-Marc Hovasse, *Victor Hugo,* tome I, *Avant l'exil, 1802-1851*, Fayard, 2001.

Jean-Marc Hovasse, *Victor Hugo*, tome II, *Pendant l'exil* I, 1851-1864, Fayard, 2008.

Arnaud Laster, *Victor Hugo*, Belfond, 1984.

André Maurois, *Olympio ou la Vie de Victor Hugo*, Hachette, 1985.

Ouvrages consacrés à ses proches :

Florence Colombani, *« Je ne puis demeurer loin de toi plus longtemps... » Léopoldine Hugo et son père*, Grasset, 2010.

Henri Gourdin, *Adèle, l'autre fille de Victor Hugo*, Ramsay, 2005.

Henri Guillemin, *L'Engloutie, Adèle, fille de Victor Hugo*, Seuil, 1985.

Albine Novarino, *Victor Hugo et Juliette Drouet : dans l'ombre du génie*, Acropole, 2001.

Études :

Louis Aragon, *Avez-vous lu Victor Hugo ?*, Temps actuels/Messidor, 1985.

Michel de Decker, *Hugo, Victor pour ces dames*, Belfond, 2002.

Pierre Georgel, *Victor Hugo, dessins*, Hors-série Découvertes Gallimard / Scérén-CNDP, 2002.

Emmanuel Godo, *Victor Hugo et Dieu : bibliographie d'une âme*, Cerf, 2001.

Henri Guillemin, *Hugo et la sexualité*, Gallimard, 1954.

Sophie Grossiord, *Victor Hugo, Et s'il n'en reste qu'un*, Gallimard, Beau livre poche, 1998.

Annie Le Brun, *Les Arcs-en-ciel du noir : Victor Hugo*, Gallimard, « Art et artistes », 2012.

Émile Meurice, *Victor Hugo : génie et folie dans sa famille, « Pourquoi perd-on la tête ? »*, Academia-L'Harmattan, 2014.

Philippe Van Tieghem, *Victor Hugo, un génie sans frontières. Dictionnaire de sa vie et de son œuvre*, Larousse, 1985.

Michel Winock, *Victor Hugo dans l'arène politique*, Bayard Jeunesse, 2005.

Autres :

Eugène Delacroix, *Journal*, Plon, 1999.

Théophile Gautier, *Souvenirs du romantisme*, Seuil, L'École des lettres, 1996.

Hugo orateur, Gallimard, Folioplus Classique, 2015.

Judith Perrignon, *Victor Hugo vient de mourir*, L'Iconoclaste, 2015.

Table

Achevé d'imprimer
par l'Imprimerie Floch à Mayenne
en juin 2018.
Dépôt légal : mai 2016.
Numéro d'imprimeur : 92893.

ISBN : 978-2-84990-452-7 / Imprimé en France.